Carpe diem, baby

tras una cena fuera, cortesía de la empresa. Se quedaron callados y en ese momento apagaron las luces del vehículo. A Sara se le puso un nudo en la garganta, por su proximidad en aquel lugar oscuro. No era un silencio incómodo, todo lo contrario. Sara sentía que ambos se habían metido en una campana de cristal, y que todas sus ondas de energía rebotaban ruidosas contra las paredes para volver a ellos, y envolverles en una densidad sensual y privada. Se escuchaba alguna conversación en voz queda pero casi todo el mundo descansaba o le decía adiós mentalmente a Copenhague iluminado desde sus ventanas. Con suavidad, como en un descuido, Jens le tocó el muslo con un dedo.

—Perdón —dijo.

Sara sintió una descarga tan fuerte con su contacto que se quedó paralizada. Un escalofrío de placer había subido por su muslo y se había metido por sus bragas, como una carrera de hormigas alocadas. Quizás era el recuerdo de su cuerpo mojado y desnudo. Ni siquiera si la hubiera penetrado de golpe en ese mismo momento le hubiera provocado un placer mayor.

—No me ha molestado, —acertó a decir.

Y le miró las manos, porque no podía mirarle a los ojos. Estaba segura de que la delatarían, y que se leería en ellos el estado de deseo en que la había colocado.

Él volvió a acariciarla en el mismo punto con la yema de un dedo, suavemente, luego con dos, subiendo y bajando por su pantalón vaquero, como si quisiera arañarla, hasta que colocó en su pierna toda su mano abierta, grande y caliente, en un gesto de intimidad y posesión que la volvió loca.

—Hoy he vuelto atrás en la piscina —le susurró Sara.

Él la escuchaba.

—Te he visto ducharte —Siguió.

La miró un segundo.

—¿Y... te ha gustado lo que has visto?

—Sí.

Al llegar, hubo gente que decidió quedarse a tomar una cerveza en el bar del hotel, para celebrar el fin de la reunión. Sara aprovechó para unirse al grupo de los que decían estar ya cansadísimos y que se iban a dormir. Cuando entró en su habitación no sabía qué hacer. No sabía cuándo iba a aparecer Jens, y dio varias vueltas, con las luces casi apagadas. Dejó encendida una pequeña lámpara sobre su mesilla. En ese momento sonó un mensaje en el móvil, que sólo decía: «Abre la puerta».

Muy excitada la abrió sólo unos centímetros y se apartó. Cinco segundos después, Jens entró, sin un ruido, y cerró con cuidado detrás de él. Estaban solos por primera vez, en silencio, en el pequeño recibidor. Jens se sacó un paquete que llevaba oculto debajo del jersey y se lo puso en las manos. Era una cajita de chocolates belgas.

—Al menos, mientras te los comas sé que te acordarás de mí —dijo en voz muy baja y temblorosa.

Sorprendida, Sara fue consciente de que él estaba muchísimo más nervioso que ella. Que el hombre triunfador y seguro de sí mismo, fanfarrón y líder, se debía de haber quedado fuera, como un abrigo colgado en un perchero, y en su lugar quedaba un muchacho tímido y tembloroso que aunque pareciese increíble... no sabía qué hacer.

Sara le dio las gracias con los bombones todavía en su mano derecha, y se puso de puntillas para darle un beso de agradecimiento en la mejilla. Jens estaba apoyado en la pared y bajó la cabeza para recibir el beso. Ambos mantenían la cara de frente, por lo que ella depositó sus labios, no sobre los de él, sino muy cerquita, casi en la comisura; un beso que prolongó unos segundos y que, para no perder el equilibrio, la obligaba coquetamente a apoyar de manera sutil su pecho contra el de él, después su pubis contra el de él, hasta que Jens la sujetó con los brazos alrededor de su cadera y la apretó contra el bulto durísimo de sus pantalones y contra su cuerpo entero.

Sara no había bebido alcohol, pero se sentía como borracha. Sabía que no estaba bien, que no era correcto, pero no podía despegarse de él.

La besaba torpemente, casi sin abrir los labios, y ella fue consciente de su inexperiencia. Estaba muy sorprendida.

—¿Así besáis los españoles? Me gusta mucho.

vez, dos veces, tres, mirando como ella se retorcía sintiendo un dolor inexplicablemente maravilloso. La cegaba el placer. No podía entender que eso le estuviese gustando tanto.

—¿Ha recapacitado ya, señorita? —Volvió a susurrarle él, mientras la golpeaba de nuevo.

—No, —murmuró. No podía decir más.

—No me deja entonces alternativas —le dijo en la oreja, mientras introducía en ella la punta de su lengua.

Le dio la vuelta y la colocó sobre las manos y las rodillas. Se puso detrás de ella, sujetando sus caderas con la mano izquierda mientras con la derecha buscaba algo en la mesilla. Sara pensó que buscaba de nuevo una de las velas, cuando sintió que introducía muy despacio su dedo índice, empapado en aceite de masaje, en la abertura de su ano. Dio un respingo. No le gustaba. Le daba vergüenza, no quería que él hurgase allí, pero la mandó callar. Introducía el dedo un poco, hacía palanca con él obligando a la delicada piel a extenderse. Introdujo con delicadeza la punta de su pene, muy suavemente. Sara esperaba. Podía notar su excitación mientras su miembro se iba deslizando lentamente dentro de ella. La sensación era extraña.

—¿Has hecho esto alguna vez? —gimió él en su oído, con la respiración entrecortada.

—No —mintió ella.

—Yo tampoco. Oh, Dios —gimió, con la boca entre las ondas de su pelo.

Sara no decía la verdad. Sólo lo había hecho una vez, años antes, en la Universidad, con un compañero del grupo de teatro que le gustaba mucho. Se miraban constantemente, se deseaban con locura, y la tensión entre ellos no podría cortarse ni con una sierra eléctrica. Al final un día comenzaron a besarse, en un aula vacía que habían cerrado con llave. Las hormonas de ambos bailaban salvajes mientras se metían las manos y todos los dedos por dentro de la ropa, levantando camisetas, abriendo pantalones, enloquecidas. Ninguno de los dos esperaba aquello, no tenían a mano ningún preservativo, y no podían ya recolocarse la ropa y salir a buscar la dichosa máquina expendedora, por lo que decidieron hacerlo por detrás. Era la primera vez en esa postura para ambos, pero extrañamente era lo que más le apetecía a Sara.

La sensación esta vez fue distinta. No sólo porque el miembro de Jens era bastante más grande, sino porque el resto de sus órganos sexuales ardían, literalmente.

Jens le dio unos cuantos azotes en las nalgas, mientras le musitaba en el cuello:

—Así aprenderás —dijo con un susurro salvaje.

Sara en ese momento hubiera deseado estar sola con él, en medio de cualquier campo, donde pudiera gritar libremente, donde pudiera seguir azotándola. Aún no podía creerse que estuviera deseando tanto eso.

Sara gemía, entre placer y dolor, y se aferraba con las manos crispadas a las sábanas. Cuando Jens sintió que el orgasmo llegaba, salió de ella, regando con su esperma caliente su ano, su vulva, su clítoris.

Se tumbaron uno al lado del otro, exhaustos. Jens la besó en los labios, y en la frente.

—Ah, no —dijo Sara, que aunque cansada seguía enfebrecida de deseo. —No se crea, caballero que esto se va a quedar así

—¿No? —rio él. — ¿Y qué vas a hacer entonces?

—Tendré que denunciarle —murmuraba mientras le mordisqueaba el lóbulo de la oreja y le acariciaba los testículos con la mano—. Diré que has entrado en mi habitación por la fuerza y que me has forzado... muchas veces, que me has desvirgado el culo...

—Horror, no —suspiró Jens mientras intentaba besarla.— ¿Vas a vengarte?

—Por supuesto —dijo Sara, mientras paraba la caricia en los testículos y con la mano abierta les daba de repente un cachete.

Jens no se lo esperaba, se quedó paralizado y gimió de dolor, pero no hizo ningún movimiento. Sara volvió a golpearle, cada vez un poco más fuerte. Él se retorcía y gemía, aún sorprendido, pero no intentaba pararla. Ya no era el macho dominante que la había sodomizado unos minutos antes, era un hombre aturdido por un placer que le proporcionaba un dolor insoportable.

Sara no podía parar. La sensación de poder la dominaba. Entendía ahora lo que sentía él cuando jugaban a eso. Sabía por sus ojos cerrados por el placer que se dejaría hacer cualquier cosa, así que quiso probar algo. Con sus dedos impregnados del aceite de masajes se apoyó en él y le obligó a abrir las piernas. Él la dejaba hacer, sorprendido. Dio un respingo cuando fue consciente de que lo que Sara pretendía era hacerle lo que él le había hecho antes. Intentó negarse, pero ella estaba encantada con su nuevo juego y no pensaba dejarlo.

—¡Cállate, objeto sexual! –le dijo, con los labios pegados a los suyos. — Aquí no se hace más que lo que yo diga. Relájate.

Poco a poco le fue introduciendo su dedo en él, que gemía sin parar, hasta que encontró la protuberancia pequeña en su próstata que había leído que era el famoso punto «p». Y comprobó que efectivamente, sí, lo era. Jugaba a presionar ligeramente, a moverse en círculos, y él respondía con gemidos que intentaba ahogar a duras penas, y que le llevaron finalmente a un prolongado orgasmo.

Estaba noqueado. Mantenía la cara detrás de su antebrazo, mientras intentaba recuperar el ritmo normal de su respiración.

—Ahora no sé si soy gay –le oyó decir.

A Sara le dio la risa. Se ahogaba en carcajadas. Le costó unos minutos convencerle de que no era así, que ese miedo atávico que le tienen los heterosexuales a sus nalgas es sólo algo aprendido, y que era ella quien le había dado placer, por lo que no era homosexual. Cuantos más hombres conocía, más extrañas le resultaban sus reacciones.

En los días siguientes siguieron jugando, pero para su pesar, Sara se dio cuenta de que el rol masoquista era el favorito de Jens, ahora que lo había descubierto. Buscaba cualquier oportunidad para ocupar el papel de dominado, para dejar que Sara le pegara, que le hiciera «aquello» que no quería ni nombrar.

La naturaleza de Sara se revelaba, para ella había sido una experiencia divertida, pero no era el centro de sus fantasías sexuales, todo lo contrario. Anhelaba los primeros días en que él la obligaba a mantener las piernas abiertas durante horas mientras inspeccionaba y la hacía disfrutar. Jens había descubierto su plato favorito de repente y quería más y más ración de ello antes de tener que volver a casa... a comer patatas.

La llamaba *Spanish fly*, porque decía que era el mejor afrodisiaco que se podía encontrar, y ella le llamaba *Sexual object*, de forma que ese se convirtió pronto en su código secreto.

La semana se acabó, y Sara no podía asumir la profundidad del vacío que sintió al pisar su apartamento. Quería achacarlo a la falta de sueño de la semana anterior, pero en realidad lo que le faltaba era Jens.

Echaba de menos su presencia de una manera enfermiza y le producía un dolor terrible en la boca del estómago afrontar una vida sin él. Abrió su correo electrónico y encontró un largo *e-mail*. Le decía que la amaba, que al entrar en su casa se había dado cuenta de que ese no era su hogar, que su hogar era ella y que se sentía morir de angustia y de pena por perderla. Que era lo mejor de su vida, y que no podía ni mirar a la cara a su mujer. Que no era por vergüenza por lo que había hecho, que era por la rabia que le producía que ella no fuera Sara; que mientras la escribía sólo podía pensar en el tacto de su piel, en su olor, en su forma de reírse, de escucharle y en sus ojos. Se despedía con un «Te quiero, mi pequeña *Spanish fly*, tengo que volver a verte».

Sara le envió un correo, y un enlace a una de sus canciones favoritas, *It's a question of lust*, de Depeche Mode. También le envió el disco de Dover, que escuchaba constantemente, porque él quería saberlo todo de ella, quería ser parte de su música, así que le dijo en qué momentos precisos de cada canción, de cada tromba de guitarra, soñaba con él. No podía apartarle de sus pensamientos, ni un solo segundo.

El invierno avanzó, frío y húmedo. Sara estaba enamorada. Ella era así, romántica y soñadora. Y él parecía estarlo igualmente. Los dos esperaban ansiosos los momentos en que podían escribirse, o hablarse. Jens la llamaba una o dos veces a la semana, desde el coche, o cuando salía del gimnasio. Se tiraban largos ratos de conversación, que tenían que terminarse a su pesar, para no levantar sospechas. Él comenzó a quedarse levantado hasta tarde, y aprovechaban para chatear cuando su mujer ya se había ido a dormir. Sara aguantaba estoicamente hasta que él se conectaba, muerta de sueño a veces, pero no hubiera soportado un día sin saber de él. Sin saber que estaba bien, que la tenía en su mente, que le había buscado canciones para enviarle, y que se masturbaba pensando en ella, siempre.

Jens le pedía que le contara cosas, que le contara cualquier cosa de su pasado, quería saberlo todo. Le pidió que le contara cómo fueron sus primeras experiencias sexuales. Una tarde, Sara accedió, y le contó una historia:

No se inició en el sexo propiamente dicho hasta los veinte años. Antes de eso, sus relaciones amorosas con sus parejas no pasaban de besos, abrazos y caricias profundas en cualquier rincón: un coche, un bosque, o la tapia de un colegio. No fue hasta llegar a Holanda, con una de las becas Erasmus que tanto bien han hecho al conocimiento íntimo entre los europeos, que perdió más o menos su virginidad.

El chico se llamaba Stefan, y Sara pensó al verle que jamás había visto un hombre tan guapo. Le recordaba al protagonista de El lago azul y se le puso un nudo en la garganta desde el mismo momento en que él la abordó. A Sara le gustaban los hombres así, directos, seguros de sí mismos o que al menos lo pareciesen. De los que pasan sin preguntar pero saben retirarse con dignidad si no son bien recibidos. Y Stefan lo fue, sin ningún lugar a dudas.

Amsterdam la tenía fascinada. Por primera vez era libre, vivía fuera de la casa paterna, no daba explicaciones a nadie de si entraba o salía, y estaba disfrutando de cada momento como cuando sabes que has recibido un regalo precioso que tienes que disfrutar, apurar hasta agotarlo. Le parecía estar viviendo dentro de un cuento, el del flautista de Hamelin, y que había entrado en la gruta junto al resto de los niños, para aparecer en otra dimensión, una ciudad medieval, húmeda y llena de vida.

Se alojaba en una residencia de estudiantes, sucia y mal acondicionada, oscura y llena de sofás por todas partes, en la que se organizaban fiestas en cualquier momento, y donde flotaba el aroma dulzón de la marihuana y el tabaco de liar.

Stefan la invitó a su casa el mismo día que se conocieron bailando en un pub, lo cual era habitual, ya que todo el mundo vivía solo o en piso compartido desde los dieciocho años. Le habló de Maastricht, su ciudad, y de los carnavales que se celebrarían allí durante el siguiente fin de semana. También invitó a Marta, la amiga española de Sara. Su educación la hubiera impedido acudir a esa cita sola, con un desconocido y en una ciudad remota en un país recién descubierto. Su educación y un sentimiento mínimo de prudencia que acabó perdiendo con los años.

Cuando llegaron a Maastricht las dos chicas, él las estaba esperando en la estación de tren. A Sara le comenzó a correr desbocado el corazón, porque era aún más guapo de lo que le recordaba. Ella temía que el exceso de cerveza le hubiera jugado una mala pasada días atrás y que no resultase ser como la imagen que guardaba en su cabeza, pero era mucho mejor. Altísimo, rubio, con unos irónicos ojos azules, los labios mullidos y llenos que ya había probado, y un aire de poeta bohemio que la clavó en el sitio y que no le dejó casi ni hablar en todo el trayecto hasta la tienda a la que las llevó a que comprasen algo, ya que no se podía creer que hubiesen llegado sin disfraz. Todo el mundo estaba transformado. Por todas partes había diablos, monjas, gallinas, reyes, en una fiesta bulliciosa en la que sonaba por todas partes la música y corría la cerveza a litros.

Esa noche conocieron a los amigos de Stefan, a los que Sara ni recordaba. Era el grupo de hombres más guapos que ellas hubieran visto jamás juntos, además de simpáticos y divertidos. Todos se habían disfrazado de húsares con unas casacas rojas ajustadas y unas pelucas morenas despeinadas y largas que les daban un aire alegremente fantasmal. Sara no podía dejar de mirarle y de pensar que todo era una ilusión, que llegadas las doce de la noche ese hombre desaparecería junto con sus bellos amigos, sus casacas, su casa del siglo pasado de dos plantas y su ciudad de cuento.

La noche fue frenética. Las calles del centro estaban abarrotadas de gente, todo era color, música, risas. Bebieron y bailaron durante horas. Marta ya se había perdido junto con uno de los amigos de Stefan y no volvió hasta el día siguiente. Sara se sentía eufórica, Stefan no se despegaba de ella, le besaba los labios, la nuca y los ojos constantemente, le acariciaba la cintura, cada vez se sentía más liviana. Encendía un cigarrillo de marihuana tras otro y Sara aspiraba del canuto, o directamente de su boca. En una de las esquinas de la plaza en la que se encontraban una banda comenzó a tocar ritmos brasileños. Al golpe de los tambores Sara se sintió libre, como nunca. Comenzó a bailar moviendo las caderas de forma provocativa, era consciente de que todo el mundo la miraba. Stefan no le quitaba los ojos de encima y no la soltaba. Comenzaron a frotarse el uno contra el otro bailando, pegados como dos imanes hasta que el mundo entero desapareció y Stefan le susurró un «vámonos a casa».

La marihuana y la cerveza estaban haciendo su efecto a marchas forzadas, y Sara no podía dejar de reírse durante todo el camino y de tropezarse con todo, por lo que Stefan decidió que lo más sensato sería cargarla a horcajadas, de frente a él, las piernas de ella abrazando sus caderas, lo que le provocaba a ella un nivel de excitación inimaginable.

Al llegar a la verja de la casa, Stefan paró y le apoyó la espalda contra las barras de hierro para poder besarla sin caerse. No parecía cansado. Ella le acariciaba los rizos rubios y se los enredaba entre los dedos mientras las manos de él subían y bajaban por sus nalgas.

Cuando entraron en casa llegaron al salón, donde dormía él, ya que la casa era compartida, y extendió un colchón en el suelo. Sara se tumbó vestida, con los vaqueros y la camiseta puestos. De repente el silencio de la casa, el sonido atronador de la música haciendo eco en sus oídos, el sentimiento de inseguridad hacia su propio cuerpo, le paralizaron a la espera de ver qué hacía él. Stefan se quitó la ropa, dejando sólo la interior, se tumbó a su lado y la atrajo hacia sí, abrazándola muy fuerte con los brazos y las piernas. Metió la cabeza entre su largo pelo castaño y se durmió.

Sara no lograba conciliar el sueño. Estaba excitada y nerviosa y no quería moverse para no despertarle. Cuando ya no pudo aguantar más ni la postura ni el calor se desprendió de su abrazo lentamente y se quitó el vaquero y la camiseta. Volvió a tumbarse, muy pegada a su nuevo amigo, que volvía a abrazarla.

Debió de quedarse dormida en algún momento, porque la despertó él, que se incorporaba a su lado con una toalla en la mano.

—¿No te duchas? –le preguntó.

Ella estaba confusa y como sonámbula, se levantó y le siguió por el larguísimo pasillo de la casa hasta el baño. Los efectos de la hierba y la cerveza seguían ahí, y ella se sintió nuevamente torpe e insegura al entrar desnuda en la ducha. Stefan comenzó a lavarse bajo los chorros de agua templada mientras ella le observaba y luego comenzó a lavarla a ella. Suavemente, con las manos llenas de gel que pasaba por sus hombros, por sus senos pequeños, por su cadera y su vientre, hasta llegar a su sexo. Volvió a llenarse la mano de jabón, que olía a lavanda, y le frotó abajo con la mano abierta, hacia adelante y hacia atrás, abriendo los labios con los dedos y deslizándolos por la abertura, sin detenerse en ningún punto más de un segundo.

Sara estaba loca de excitación pero aún paralizada y sin atreverse casi a tocarle. Comenzaron a besarse mientras seguían empapándose hasta que él decidió que era el momento de volver al cuarto. Le siguió cogida de su mano, envuelta en la toalla enorme que le había dado. Se volvió a tumbar en el colchón con el corazón latiendo a mil por hora, se sentía inexperta y temblaba como una hoja contra el viento.

Stefan la besaba por todas partes, la iba recorriendo entera mientras ella gemía suavemente, acariciándole los hombros. Entonces él llegó a sus piernas, las separó y comenzó a besar su abertura, entre el vello púbico, separando con las puntas de los dedos y buscando el clítoris. Al encontrarlo Sara no pudo evitar soltar un grito. Había sentido una descarga eléctrica que le había recorrido el cuerpo entero. Los dedos dejaron paso a los labios, que empezaron a besar suavemente, a la lengua que lamía sin cesar. Con cada roce Sara lanzaba un grito de puro placer. Recordaba vagamente que en el piso superior vivían los dueños de la casa, una pareja de ancianos impedidos a los que posiblemente no estaba dejando dormir, pero no podía evitarlo. Cada beso, cada succión, y cada roce le hacían entrar en éxtasis y no le importaba nada más.

Sara sintió que pasaban horas en aquella postura, con las piernas abiertas y él entre ellas, bebiendo de ella, pero hubiera podido pasar así toda la vida.

Él apenas dejaba que le tocase, y ella no se atrevía a intentarlo. Temía que sus caricias no fueran bien recibidas, no sabía lo que más les gustaba a los hombres y suponía que eso era lo correcto, que él sabía lo que quería y que ya le indicaría cómo actuar. Se sentía de cualquier forma demasiado pesada, gozando sin parar, centrada en las descargas que él le provocaba con su boca.

Volvieron a dormirse, abrazados, y cuando despertaron ya era la hora de salir corriendo hacia el tren de vuelta.

Sara mantuvo aquella relación durante el curso entero y nunca le fue infiel, ni se le pasó por la cabeza ya que la tenía ocupada en acordarse de él en cada instante. A veces le llamaba, cuando sabía que no estaba, ya que viajaba mucho, sólo para oír su voz al otro lado en el contestador, diciendo que no estaba, que dejase un mensaje al oír la señal y sólo eso ya le removía el corazón y la dejaba húmeda y rogando que el tiempo pasase pronto para volver a verle.

Siguieron viéndose regularmente, cada tres semanas más o menos y en todos los encuentros él la bañaba, la tumbaba y bajaba a trabajar su sexo durante horas, mientras ella gritaba y se retorcía. No le dejaba apenas que le tocase. Alguna vez ella intentó hacerle lo mismo que él le hacía, pero en realidad no sabía cómo, y él acababa retirándola suavemente y dirigiendo los juegos.

Una noche, habían estado en la buhardilla de uno de sus amigos. Los cinco chicos, y ella. Fumaron marihuana y bebieron, y en la televisión sonaba la película de The Doors. Sara se quedó dormida sobre las piernas de Stefan, rodeada de los hombres más bellos del mundo y drogada. Se le cerraban los ojos y en el fondo de sus oídos se mezclaba la incomprensible y queda charla de ellos con la sensual voz de Jim Morrison cantando *Light my fire*. Cuando volvió a ser consciente Stefan volvía a llevarla cargada como el primer día, las piernas de ella rodeando sus caderas.

Ya era casi de día y Sara no podía soportar más el ardor que sentía dentro de sus entrañas. Su lengua la había enardecido de tal forma que le suplicó que la follase. Él no quería. Ella era virgen y le daba vergüenza reconocerlo, pero había decidido que aquél era el momento, y aquél el hombre, por lo que no pensaba levantarse del colchón sin haberle sentido por completo. De mala gana, él se levantó y buscó un preservativo. Se tumbó sobre ella, directamente, e intentó penetrarla. No era posible. Él sólo murmuraba:

—¿Ves? No se puede.

Sara no entendía nada. No entendía que él no lo desease tanto como ella. Era el chico más extraño que había conocido jamás. Al final, tras varios empujones, por fin la penetró. Sara sintió dolor, y nada más que dolor. En ese momento llamaron a la puerta.

—Mi hermano —dijo—. Habíamos quedado ahora.

Y se levantó a abrir.

Ella se envolvió con la toalla y permaneció sentada en el suelo, desolada. Se miró entre las piernas y encontró bastante sangre. Le dieron ganas de llorar, ojalá hubiera alguien a quien preguntarle si aquello era lo normal, si estaba sangrando demasiado o no, o por qué todo había salido así de mal.

No volvieron jamás a hablar sobre ese tema. Sara no se atrevía a preguntarle por su negativa a tener una relación sexual completa y pensaba que él ni siquiera debió de darse cuenta de que para ella era la primera vez y que no le hubiese importado, de cualquier manera.

Después de aquello siguieron viéndose a menudo, aunque nunca lo volvieron a intentar y para ella nada era lo mismo. Ella sentía cómo lentamente estaba dejando de quererle. Ya no soportaba la afición de él por fumar hierba. Lo hacía tan a menudo que a veces no quería ni besarle.

La beca de Sara terminó y volvió a España. Como coincidió con uno de los viajes de Stefan casi no hubo despedidas de ningún tipo. Se llamaban, se escribían, cada vez más de cuando en cuando. Descubrió, estudiándose a sí misma, que lo que había sentido por Stefan no era amor, aunque ella al principio lo pensara. Sara no le había querido a él. Hubiera querido ser él, lo cual era muy diferente.

Había envidiado su libertad, su independencia absoluta, su ir y venir sin rendir cuentas a nadie y también su capacidad de desapego. Sara sabía que eso lo tendría más difícil; ella enseguida se enamoraba. Se encariñaba de cualquiera, hasta de las malas hierbas de los tiestos. Le daba pena arrancarlas, pero todo era ponerse.

El mundo se había abierto para ella y de hecho, ya empezaba a tenerle una querencia especial al hermano de su amiga Eva, por lo que el día que Stefan le escribió diciendo que pasaría el verano por España con sus amigos, recorriendo ciudades... Sara contestó con un alegre: «Anda, qué bien, pues que tengáis un buen viaje».

Jens había escuchado la historia entera con concentración. Le había excitado mucho, le gustaba todo lo que ella contaba. Ojalá hubiera sido él aquel chico, le decía, se hubiera comportado de otra forma, ojalá se hubieran conocido antes. Él no tenía historias que narrar.

Ni siquiera había preguntado si todo era cierto o no, y Sara no le dio detalles. Al fin y al cabo toda narración es un misterio que habita sólo en la mente del que lo cuenta. La verdad y la mentira sólo están guardadas ahí, y pasado el tiempo, con los cajones de recuerdos y de invenciones ya mezclados y en perfecto desorden... quién sabe a qué apartado pertenecía cada imagen.

A Jens, que no podía crear, le gustaba especialmente rememorar las cosas que habían hecho y aquellas que aún les gustaría experimentar. Quería probar a hacerlo en un coche.

Una vez le contó el suplicio que le suponía tener que fingir con su mujer, cuando hacían el amor, hacía unas horas de hecho, sobre todo porque no podía demostrar lo que había aprendido. Todo debía parecer igual que siempre. A Sara le dolió profundamente oírlo. Por supuesto que no olvidaba su estado civil, pero no podía imaginarle acostándose con su mujer. Ni siquiera tratándose de esa mujer en concreto. Le había enseñado una foto de ella, alejada y con demasiada luz, en ropa de trabajar en el jardín, y parecía aviejada, descuidada y poco agraciada. Se lo dijo, que no esperaba que le fuese a guardar fidelidad, desde luego no con su propia esposa, pero que tampoco quería conocer detalles y que pensaba que ella no le gustaba.

—Bueno... —respondió él haciendo una pausa—: es mi mujer, ¿no? El sexo no es igual que contigo, pero ella también me gusta.

Sin embargo, Sara sólo pensaba en él. Había dejado de salir algunos días con sus amigas sólo por esperar su llamada, o el momento de la noche en el que él se pudiese conectar, sin saber nunca cuándo ocurriría, lo cual era desesperante. También le molestaba esa costumbre suya de usar el plural para cualquier detalle absurdo de su vida. Todo era «nosotros vamos» «nosotros tenemos invitados a cenar», «nuestra casa», «nuestro perro», «nuestro hijo»... Sara se sabía de memoria la vida y milagros del muchacho, de diecinueve años y bastante pazguato por lo que contaba su padre. Parecía que a los ojos de Jens lo mejor que tenía el chico eran sus amigas de la universidad. También conocía de memoria las andanzas de su esposa, a la que Sara había bautizado como la Momia. Por lo que él le contaba, ella le odiaba. De cara a la galería todo parecía perfecto y ordenado, pero cuando las puertas de la casa se cerraban, se desataba el infierno en la tierra.

A veces, hacían el amor por internet. Ninguno de los dos lo había hecho antes. A Sara le excitaban tanto esas conversaciones, que hasta los dedos se le estremecían al escribir. Todo su cuerpo era un temblor, las manos se electrizaban sobre el teclado y sentía oleadas de placer con cada palabra que leía, sobre todo cuando él, a punto de tener un orgasmo, le decía: «Abre la boca». A Sara le recordaba la fiebre que le invadía con cada «abre la puerta» que él le había escrito en sus encuentros. Siempre terminaba él antes, ella necesitaba despedirse, soltar el ordenador y masturbarse, recordando todas las frases hasta que le llegaba un clímax que le duraba muchos minutos, y que aparecía de nuevo súbitamente cuando rememoraba esos momentos, estuviera donde estuviera.

Sara se había enamorado y creía ser correspondida. Intentaba ser comprensiva, no mostrarse impaciente ni desesperarse por la situación en la que se encontraban, que se alargaba más y más en el tiempo, y en el que se sucedieron un par de nuevos encuentros, en diferentes ciudades de Europa.

Durante los primeros meses él le hablaba de divorcio, de las muchas vueltas que le estaba dando y de todas las noches que pasaba en vela intentando encontrar las fuerzas para dar el paso, pero poco a poco dejó de hacerlo.

Cuando Sara le interrogaba entonces tímidamente al respecto, él se escabullía. Hablaba de la casa, de lo que le costaría dejarla, de su grupo de amigos del club de ajedrez, de la distancia con su hijo. Sara le recordaba que en ningún momento ella le había pedido que se cambiase incluso de país, que había muchas formas de enfocar una relación, pero que sí necesitaba que él fuera libre, que pudieran entrar y salir, y hablarse de forma que no fuera a escondidas, como ladrones siempre.

Entonces, él habló directamente de dinero. De que tendría que dejarle la casa a su mujer, de los cálculos que había hecho, de los miles de euros que le costaría una separación, de las largas noches del invierno alemán…

Sara poco a poco fue abriendo los ojos. Empezó a ser consciente de que tal vez, sólo tal vez, él la estuviera engañando y se estuviera engañando a sí mismo. Que su esposa no fuera la bruja que él pintaba, o que si eran infelices, probablemente no toda la culpa fuera de ella. Que su vida, la de él, no era tan tediosa, ni tan horrible como la describía, cuando evidentemente no era capaz de dejarla. Y también, por supuesto, que en realidad él no la quería. Que quería más a la otra, aunque no se mereciese de verdad a ninguna de las dos.

Cuando Sara le preguntó así, abiertamente, Jens confesó. No, no quería dejar a su mujer. No, su vida no era tan mala en el fondo. Claro que quería a Sara, la adoraba, de hecho, ¿qué era lo que había cambiado? ¿Por qué no podían ser amantes? ¿Por qué él no podía mantener a la vez esposa y amante, como tantos de sus amigos?... Sara no podía creer lo que oía, y el velo se cayó de sus ojos, mostrándole la realidad.

Le contó que había conocido a un chico, David, que le gustaba mucho. Jens se mostraba celoso, al principio no quería oírlo. Después quería saber qué era lo que ella estaba haciendo, con la esperanza de que nada hubiera cambiado realmente, pero le desesperaba conocer la verdad. Luego fue admitiendo esa nueva presencia como parte del juego, como pieza integrante de la historia. Sólo buscaba dónde encajarlo.

Aunque la relación con David fuera imperfecta, le sirvió a Sara de baño caliente en día nevado. Olvidar a Jens comenzó a ser más fácil. Utilizó como culminación de su particular terapia el recuerdo constante de sus peores momentos, las conversaciones en las que él comentaba emocionado que venía a casa tal o cual amiga de su hijo, rozando sin disimulo la fina frontera de un interés que a ella le repugnaba.

Se forzó, aunque se le partía el corazón, a recordar las veces que ella le había creído, cuando hablaba de dejar un hogar que era una cárcel, de una vida que era una constante angustia. Releía una y otra vez los larguísimos correos que le escribía, y los chats, en los que le decía que la amaba y le imploraba que tuviera paciencia, que sólo ella le daba fuerzas para continuar, donde le contaba sus sueños, donde le hablaba de su deseo por ella, de cómo nadie le había tocado ni acariciado como ella lo hacía...

Y luego ponía en paralelo, como en una pantalla grande en su mente la realidad, y él se iba convirtiendo a sus ojos en un niño cobarde, pequeñito y egoísta..., hasta que todo el sentimiento amoroso desapareció, y alrededor de Sara no quedó más que un cielo azul, y un día limpio.

Una noche le envió un *e-mail*, despidiéndose, ya que no podía llamarle por si no estaba solo. Dio por zanjada aquella relación y cerró definitivamente su puerta. Al día siguiente, en su buzón había un correo sin nada escrito, y que sólo contenía una canción: *Good bye my lover*, de James Blunt. Sara la grabó en su móvil, y de vez en cuando la escuchaba. Le hacía bien.

2
Eva y los bailes latinos
ᘓᘏᘓ

No estaba muy segura de que ese fuera a ser el entretenimiento perfecto para ella. Acababa de romper con su novio, con el que llevaba más de doce años, y temía que se había dejado convencer demasiado rápido por sus amigas. Tenían la mejor de las intenciones. Efectivamente, quedarse en casa un domingo por la tarde era una invitación a la depresión más profunda, pero ahora que se veía en aquella sala medio oscura, sola y rodeada de desconocidos, esperando a que un hombre se fijase en ella para sacarla a bailar, se arrepentía y se sentía ridícula. Su exnovio se burlaba de todos los que bailaban, se mofaba de ellos, quizás por eso fue la primera actividad que le vino a la cabeza.

Las clases de bachata se daban en una discoteca. La entrada era gratuita, la lección de ritmos para principiantes duraba una hora y empezaba con una rueda en la que los hombres elegían una mujer con la que comenzar. Las parejas bailarían, siguiendo los pasos de los profesores, y se cambiarían, siguiendo la rueda, cada dos minutos.

Eva se miraba la punta de los pies. Recordaba que hacía unos días le decía Sara, su mejor amiga, que su estado de ánimo era normal. Que si un tipo como el que había sido su pareja tanto tiempo, y ella le conocía muy bien, llamase constantemente para repetirte entre otras lindezas: «¿Quién te va a querer a ti? ¿Quién te va a querer a ti?», lo mínimo que cualquier persona cuerda sentiría sería una tremenda inseguridad. Sara le pedía que no se dejara influenciar por sus chantajes.

Y efectivamente, ahí estaba, apartándose un mechón del rubio flequillo de la cara justo para ver cómo un tímido y delgadísimo muchacho se situaba frente a ella, con la mejor de sus sonrisas, y le extendía la mano, dispuesto a comenzar el baile.

En la sala había dos profesores, que dijeron llamarse Luis y Mateo. El primero era español y con aspecto de que le hubiera mordido una culebra en los pies, por la forma endiablada en la que se movía dando las instrucciones. El otro, dijo ser de Venezuela. No era muy alto pero sí muy guapo, y circulaba alrededor de las tímidas parejas recién creadas, corrigiendo los muchísimos errores que cometían. Luis les comentaba que, por si no se habían dado cuenta aún, los bailes latinos eran muy machistas. Les recordaba a las mujeres que se dejaran llevar.

La bachata le estaba pareciendo fácil. Sólo había que mantener la coordinación y no olvidar cuándo había que desplazarse a la derecha y cuándo a la izquierda. Su segunda pareja, un hombre mayor de tupido pelo blanquísimo, se movía con bastante gracia, y repetía constantemente en voz baja pero audible: «…Un, dos, tres, hop, un, dos, tres, hop…».

Se lo estaba pasando muy bien, y no era ni mucho menos la más torpe de los asistentes, con lo que tras la primera canción ya se encontraba relajada y encantada con la buena idea de haber llegado hasta allí. Todos se estaban divirtiendo, o eso parecía.

El profesor venezolano se acercaba también a las parejas, y les iba dando instrucciones más precisas. Alguna vez pasó por el lado de Eva. A ella le gustaba cómo la miraba.

En una de las ocasiones, cuando volvió a bailar con el jovencito con el que lo había hecho la primera vez, se acercó a ellos. En ese momento, bailaban separados, todo lo largos que eran los brazos del chico, distancia que evidentemente no se atrevía a sobrepasar.

—¿Pero, y esto qué es? —les dijo con una burlona sonrisa—. ¡No se agarra así a una hembra como esta!

La sacó al centro de la rueda, rodeándola por la cintura y pegándola a su propio cuerpo.

—A ver, esto va para los hombres —dijo—. Los ritmos latinos son pura pasión, no son sólo un baile. No van a estar nunca tan cerca de una mujer que no sea la propia sin arriesgarse a que les parta la cara. ¡Aprovéchenlo!

Todos rieron, también Eva, cuya temperatura corporal empezaba a subir aceleradamente.

—No piensen que están sólo bailando. Están haciendo el amor. Siéntanlo y dejen que la música les lleve. ¡Disfruten el momento!

Ya no la soltó. Ni en esa canción, ni en la siguiente. Eva se sorprendía de lo fácil que era bailar con él. Veía cómo el otro profesor bailaba con alguna otra alumna, pero el abrazo era menos intenso. Ella sí sentía que no estaba ejecutando sólo un baile. De su cuello emanaba un olor profundo, sexual y especiado que la estaba trastornando.

—Qué bien te mueves, mami —le susurró Mateo al oído. La seguía apretando aún más contra su cuerpo. — ¿Lo haces todo así de rico?... Porque si es así, quiero probarlo.

Eva respondió con sus caderas, demostrándole que ella sí había captado el mensaje que quería transmitir, moviéndolas sensualmente alrededor de su pelvis, totalmente pegada a él y sintiendo la dureza de sus pantalones.

Le excitaba estar así, rodeada de gente que les podía estar mirando, frotándose contra aquel hombre tan guapo, que la deseaba de una forma tan evidente. Eso le gustaba mucho. Para ella el sexo tenía algo de espectáculo.

Su novio, el primero y hasta hacía unos días, el último, había convertido su vida sexual en algo parecido a una feria. Eva había estado absolutamente subyugada por él, por su confianza en sí mismo, por su bárbara egolatría, que ella en un principio no intuyó.

La presencia de su novio llenaba cada uno de sus minutos. Cayó en sus brazos rendida casi el primer día, cuando se giró incómoda en una terraza en la que tomaba un refresco con su hermana, al sentir una mirada penetrante clavada en su nuca. Esa sensación, que con el tiempo se convirtió en su sujeción al mundo, se mantuvo hasta el último día.

Durante los primeros años de su relación, el sexo fue para Eva un descubrimiento. Su chico era un hombre de mundo, había viajado por el planeta entero y poseía una firmeza de carácter impensable para alguien de su edad. La guió en sus primeros pasos, apasionado e impaciente, y Eva sentía que se había subido a una montaña rusa que comenzaba a avanzar sólo sus primeros metros. Moría de curiosidad por saber cómo sería el resto de su aventura. Había decidido dejarse llevar por él. No esperaba que alcanzase una velocidad de vértigo cuando sólo habían pasado un par de años desde aquel día en la terraza.

Su novio quería experimentar. Pronto comenzó a hacerle partícipe de sus fantasías. Le hablaba de otras chicas. Amigas suyas, antiguas novias algunas... En los momentos más íntimos él le susurraba sus sueños más profundos, que casi siempre incluían a alguna otra mujer. La convenció de que era normal que él tuviese ese tipo de deseos y le narraba con detalle cómo serían las escenas que podrían vivir si ella quisiera, cómo sería cuando tocara a otras, cómo ellas la tocarían, lo que le harían sentir con sus lenguas en su clítoris, hasta que esa fantasía acabó siendo también la de Eva.

El primer día que se decidió por fin, se sintió algo cohibida. Su pareja había quedado con una antigua novia que, según decía él, era una chica muy liberada y con la que todo sería maravilloso. A Eva le pareció una belleza. Se llamaba Ariel. Estaban en un hostal de mala muerte. Su novio, tan niño de papá y sofisticado, había querido preparar ese escenario. Eva le veía gozar, tumbado sobre la otra, las piernas y los brazos entrelazados, comiéndose a besos. Les miraba desde la silla en la que se había sentado, vestida, sin saber qué se esperaba de ella.

Su novio le había explicado que no debía sentir celos, que eso sería antinatural, que él a quien quería era a ella. Y sin embargo, en ese momento, que ya había llegado, no sabía cómo se sentía. En contra de lo que pensaba que iba a suceder, celosa no. Le daba igual, ni siquiera viendo cómo su novio se entregaba de aquella manera a otra mujer. Sí, extraña y fuera de lugar, sentada como observadora de guerra. También insegura de su propia sexualidad al verse excluida.

La chica era muy guapa, tal vez ella no lo era tanto. Tenía un cuerpo torneado y ágil, tal vez el suyo era menos atrayente para él. Un nerviosismo incontrolado le atenazaba la garganta, como cuado tenía muchas ganas de llorar pero las lágrimas en vez de acumularse en los ojos parecía que se apelotonaban en su tráquea, provocándole un dolor agudo y asfixiante.

Él la llamó. Le dijo que se desnudara y que se tumbara a su lado. Temblando un poco le obedeció. Comenzó a besarla, a apretarle un pecho con la mano retorciendo un pezón, mientras le pedía a Ariel que le hiciese una felación. Eva empezaba a sentirse excitada. Su novio la tocaba a ella con una mano y con la otra hacía a la chica bajar la cabeza, para que la estimulación fuese profunda. Acabó derramándole el semen por la cara. Luego se dedicó un rato a acariciarlas a las dos a la vez, pellizcando cuando quería.

Les pidió que se besasen, que se acariciasen para él.

Eva comenzó a tocarla lentamente, con más curiosidad que deseo, por saber cómo estaba hecha otra mujer. Ariel mantenía los ojos cerrados. Le acarició los senos, los apretaba un poco, eran muy bonitos. Bajó tímidamente hasta su pubis. Su novio estaba disfrutando. Supuso que le gustaría verle actuar de la forma que él lo hacía, así que separó las piernas de la chica con las manos y venciendo sus reparos, le introdujo los dedos. Comenzó a moverlos, mientras con el pulgar masajeaba su clítoris en círculos, como a ella le gustaría que se lo hicieran. La otra gemía, se retorcía de placer.

Su novio volvió a excitarse. Las hizo moverse y las colocó a las dos en la misma posición, sobre sus codos y rodillas y con las piernas abiertas, mientras las penetraba ahora a una, luego a la otra, a su antojo, hasta que se vació dentro de Eva y cayó derrumbado.

A esa experiencia siguieron otras muchas. Si en los primeros encuentros concertados él participaba activamente, dejó de hacerlo para sentarse sólo a observarlas, a dar instrucciones. Unas veces era con una mujer, otras veces con varias. Eva llegó a conocer de esta forma a muchas de las chicas que habían formado parte de la vida de él. Todas ellas ávidas de nuevas experiencias, de goces distintos, calientes y expertas en mil batallas. Iba ordenando qué tenía que hacer cada una en los encuentros amorosos, desde su trono, sobre todo a Eva. Le decía cuándo tenía que chuparle a una la punta de los pechos, cómo ir bajando con la lengua y los labios hasta el pubis de otra, cuándo lamerle el clítoris, cuándo debía girarse en un sesenta y nueve para besarla y succionarla.

Luego en casa, él se acostaba con ella, aún excitado por lo que había visto, y le gemía al oído lo que más le había gustado. Eva no llegó a hacerse amiga de ninguna de ellas. Todas salían de su vida como habían entrado, sonrientes y húmedas.

A Eva le pareció durante un tiempo muy largo estar viviendo un sueño, lujurioso y sensual, pero a medida que pasaron los años, en contra de lo que su novio esperaba, cada vez le costaba más decidirse. Él la animaba, la iba calentando recordándole todo lo que podría sentir, mientras la tocaba y le ofrecía más y más copas, con las que relajar su rechazo. Cada vez proponía cuadros más y más rocambolescos en los que él era el único hombre y Eva se dio cuenta de que no quería eso realmente, de que lo hacía sólo por él, y de que al final su propio placer no contaba.

Un día, por fin, consiguió dejarle.

Entre los brazos del profesor de baile, rodeada de gente, se sentía de nuevo fuerte, sexualmente poderosa, y le deseó como hacía muchos meses, que no deseaba de verdad a nadie. Cerraba los ojos y al ritmo de la música notaba que en su cerebro despertaban con violencia la pasión y la lujuria. Se sentía correspondida y objeto del deseo de él, no por ser parte de ninguna situación extraña, sino por ella misma. Por su cuerpo y por su sensualidad.

Acabaron en la casa de Mateo, bebiendo ron y sobándose como locos mientras seguían bailando por todas las habitaciones. Mientras le metía las manos por dentro de la ropa interior pegaba su boca a la oreja de ella.

—Qué bonita eres…, –le susurraba– ¿Qué hace una chica como tú aquí?... Mírate en el espejo, eres una mujer fácil…, te voy a follar como yo quiera, ahora mismo…

Eva estaba loca de deseo, trastornada. Se lo hizo de forma salvaje. Era el segundo hombre con el que estaba en su vida y pensaba que su corazón iba a dispararse, no se esperaba una situación así. Mateo la penetró durante horas, en todas las posiciones, golpeándola suavemente con una pequeña fusta que tenía sobre la mesilla. Parecía que su excitación no paraba de crecer, que la dureza de su miembro no iba a acabarse nunca. Eva tuvo varios orgasmos. Estaba exhausta. Se despertó con tal sensación de confusión que tardó varios minutos en descubrir dónde estaba. Recordó la noche anterior y mientras su cerebro trataba de volver a conectar lentamente sus neuronas, sintió que la puerta de la habitación se abría a sus espaldas y se volvía a cerrar suavemente.

Mateo se tumbó a su lado, pegó su cuerpo desnudo al de ella, que seguía de cara a la pared, y sintió cómo le acariciaba con suavidad la cadera, cómo se deslizaba hacia su vientre y bajaba a su pubis. Aún estaba amodorrada, recorriendo cada miembro de su cuerpo con su mente para asegurarse de que todo estaba ahí cuando notó que la caricia de él pasaba de dulce a impaciente, notó en sus nalgas su pene duro, su pecho musculoso clavado en ella, y cómo él buscaba su abertura otra vez para penetrarla de nuevo desde atrás. Fue menos frenético que la noche anterior pero igual de intenso. Le encantaba sentirse manejada por sus fuertes manos, dejarse hacer, dejarle gozar lo que quisiera, oírle repetir: «Mami, mami» en su oído, constantemente, sentirse invadida, llena…, deseada.

Cuando se fue de su casa no había un solo centímetro de su piel que no le doliera. Se miró en el espejo del baño cuando llegó y descubrió que estaba llena de pálidos moratones. Se había despedido de ella con un cariño que le sorprendió.

Desde entonces la llamaba varias veces al día para decirle que la adoraba, que quería que fueran novios, para pedirle una relación en exclusiva. Eva estaba tentada a aceptar. Se dejaba llevar y no le dijo ni que sí ni que no, pero no le seducía nada la idea de atarse a un hombre tan poco tiempo después de la liberación de su anterior condena.

Además, Mateo había sido tan estimulante, tan bueno en el sexo, que lo que le produjo fue el deseo de probar otros sabores. Se veía a sí misma como si hubiera errado por el desierto durante años, muerta de sed y hambre, y descubriera un vergel, con todo tipo de frutas, de animales, de bebidas, y todas a su disposición. Le asombraba lo fácil que era alimentarse en ese oasis. Con sólo extender una mano, con sólo dirigir su vista en una dirección, nuevos platos aparecían ante sus ojos. Despertaba la pasión y el deseo en todo tipo de hombres. Ya no tenía veinte años, pero se sentía mejor que entonces. Mucho mejor. Más segura, más decidida, más consciente de su valor y de lo que podía ofrecer. Y su mercancía gustaba, pujaban por ella. Se sentía exultante y aun un poco sobrecogida por su propio poder.

Las discotecas de bailes latinos fueron una catapulta para su sensualidad adormecida. Convenció a varias de sus amigas para que la acompañaran y pronto aquellos lugares se convirtieron en el centro de su mundo. Las tardes de los viernes y de los sábados las pasaban allí, invariablemente, las noches en las camas de aquellos que más le habían gustado ese día.

Estaba enfebrecida. Adoraba su libertad como a un dios pagano al que ponía flores y besaba en la boca. Amaba intensamente a todos aquellos hombres que pasaban por su cuerpo durante el rato que disfrutaba de ellos, para olvidarles después, en cuanto su calor se disipaba de su piel con el agua de la ducha.

Salía del trabajo y acudía a clases de salsa. Empezó a asistir regularmente a la academia donde trabajaba Mateo, sobre todo por la insistencia de él, que se quejaba amargamente de que le evitaba, de que nunca la veía los fines de semana.

Eva le mentía. Le contaba que no había podido salir, o que había tenido que hacer tal o cual cosa. Entre semana se acostaba con él, no todos los días, pero sí muchos de ellos. A veces, incluso después de volver de hacerlo con alguno de sus nuevos amigos. Mateo estaba cada vez más celoso, más posesivo, la olfateaba buscando el olor de otro hombre. Alguna vez creyó notar el rastro de otro en su cuerpo y se enfurecía. Un día, mientras la penetraba, le preguntó si había estado con otro, si algún hombre le hacía también eso, y ella sólo se rio. Entonces él la abofeteó, mientras seguía empujando a golpes dentro de ella. Eva tuvo un orgasmo largo, muy largo. Cuando se relajó le dijo que jamás, jamás en toda su vida, volviera a hacerle aquello. No había sido parte de un juego sexual, la había castigado y ella no era de su propiedad, ni de la de nadie.

Se propuso no volver a verle. Él le llamaba, le suplicaba, le pedía perdón, pero Eva estaba de vuelta de algo parecido al infierno, y quien ha salido de él sólo espera no ser tan tonto como para caer de nuevo. Y ella no pensaba hacerlo.

Las clases de salsa siguieron siendo un filón de nuevas experiencias. La sensualidad del propio baile, la oscuridad de los locales, la calidez de los hombres que acudían a esos lugares le proporcionaba a Eva un catálogo de sensaciones como nunca antes hubiera supuesto. Experimentaba, probaba, se abandonaba a ese nuevo éxtasis que era la lujuria, la real, la decidida por ella misma, sin imposiciones. Aparcaba al fondo de su mente las restricciones aprendidas y se sentía flotar.

Entre sus favoritos estaba Raúl, otro venezolano. Al igual que Mateo, él también era apasionado, a veces rudo, a veces tierno. Cuando la follaba le decía que la quería. Que la quería de verdad, que no podía soportar imaginarla entre los brazos de otro. Le contó que trabajaba para el servicio de inteligencia de su país, que andaba por España buscando narcotraficantes. Que no podía darle más datos, por su seguridad. A Eva esa historia le extasiaba. No sabía si creérselo o no. Su amiga Sara comenzó a llamarle Anacleto, Agente Secreto y se lo pasaban bomba todo el grupo de amigas escuchando las historias con las que Eva ilustraba las veladas de cena todas juntas en su casa, entre el vino, las *delicatessen* y las risas.

Raúl no era muy imaginativo en la cama, pero lo suplía con una pasión en lo que hacía que la volvía loca. Aunque reconocía lo extraño de la situación, de las historias que contaba, el abismo que los separaba, Eva sentía por él algo muy parecido a lo que había experimentado con su novio al principio de la relación. Le gustaba acariciarle la espalda morena después de hacer el amor, hasta que él se dormía con la cabeza en su seno.

Aun así no confiaba en él, ni en su fidelidad. Hubiera arriesgado hasta el punto de concederle una relación en exclusiva, pero su sexto sentido le pedía frenar, y proteger su corazón.

Supo que había acertado el día que desapareció de su vida, pocos meses después. Tuvo algo que ver una historia confusa que le había contado sobre recoger una maleta en la consigna de una estación de tren, sobre un secreto que no le podía contar, por aquello de su propia seguridad; y que ya sabría de él, que no le olvidase, pero que…, adiós.

A Eva le dolió mucho su abandono. Se había encariñado con él y con sus historias. Había hecho bien manteniendo la distancia emocional, pero aun así no había sido suficiente.

A veces, cuando sonaba el teléfono, lo tomaba en las manos deseando que fuera Raúl, pero no volvió a ocurrir jamás. Ya sólo esperaba que estuviese bien y que fuera feliz.

En alguna de sus noches locas, «catarsis de liberación», las llamaba ella, conoció a Santiago. Santiago era un muchacho muy jovencito de Bolivia que no le quitaba los ojos de encima en cuanto Eva llegaba al local de baile, y que se buscaba la forma de tenerla en exclusiva la mayor parte del tiempo disponible.

Era alto y muy delgado, con el rostro moreno y enjuto, y unos ojos negrísimos. Un inmigrante ilegal que no conseguía los papeles de la residencia porque tampoco había logrado un trabajo que se los pudiese proporcionar. Vivía en un piso en el centro, hacinado entre otros diez chicos en su misma situación, y a Eva se le cayó el alma a los pies en cuanto llegó a la casa, interior, sin ningún orden y nada acondicionada para que tanta gente pudiese vivir con dignidad.

El primer día sintió ganas de salir corriendo. Se daba cuenta de que en realidad no le conocía, de que aquella barriada, y aquel edificio, no le estaban causando ninguna buena impresión. Pero Santiago era adorable así que se dejó llevar por él hasta el interior del piso, en el que estaban cinco de sus ocupantes en ese momento. La casa no tenía más que dos habitaciones y un salón, y los que dormían en la habitación de Santiago se levantaron y se fueron a otro lugar al verle llegar con compañía. Estar en una casa con seis hombres absolutamente desconocidos (a su propio acompañante le conocía de dos ratos) le comenzó a producir una enervante sensación de angustia.

Santiago la tranquilizó. Entendía que no se sintiese cómoda sabiendo que otros cinco tipos estaban en la habitación de al lado. Lo que no imaginaba, y Eva se encargó de disimular, era el disgusto que le producía la propia habitación, y las condiciones que le rodeaban.

Santiago era un chico nervioso, que en cuanto la tuvo desnuda comenzó a desquiciarse y a no poder esperar. La acarició un poco, tocó por aquí y por allá, la besaba amoroso, y pronto se centró en su objetivo, que no era otro que lo que los franceses llamarían *la derrièrre* de Eva, o sea, su trasero. La colocó rápidamente en posición, se notaba que la excitación le podía y que no podría contenerse mucho tiempo. Con Eva vuelta, comenzó a acariciar la abertura con su pene rígido hasta que encontró el punto que le merecía atención. Justo el orificio más pequeño y cerrado de los que pudo encontrar. Sin lubricante de ninguna clase, aunque con delicadeza, comenzó a empujar, tras una Eva atónita, aún conmocionada por el escenario en el que se encontraba, por toda la gente al otro lado de la puerta, y por la sorpresa de que Santiago tuviese tan claro desde el principio que su meta era la satisfacción de su propio deseo. Prefirió relajarse y esperar acontecimientos, al menos su pene era como él, largo y delgado, y no le estaba produciendo muchas molestias. Santiago comenzó a moverse, gimiendo levemente, y recitando algo que parecía como una letanía. «Sólo falta que se ponga ahora a rezar, entonces sí que salgo corriendo», pensaba Eva.

Decidió, dado que había llegado hasta allí, aprovechar la situación lo mejor posible. Eva intentaba sacar siempre el lado positivo de cada hecho que le ocurría en la vida. Comenzó a acariciarse el clítoris, suavemente, y luego más rápido, hasta que tuvo su orgasmo y se sintió satisfecha.

Santiago tampoco hizo lo que esperaba que hiciera, correrse fuera de ella, sino que descargó dentro, como si fuese a morirse de un momento a otro por lo mucho que temblaba... Y ya. Eso fue todo. Pasados unos minutos fue evidente que el chico no iba a poder recuperarse rápidamente de aquel trance, ni ella tenía ningún interés tampoco. Ni siquiera sabían de qué hablar, por lo que se esfumó de allí lo más rápidamente que pudo.

Semanas después, sin saber muy bien ni por qué ni cómo, acabó nuevamente con él en ese piso. Y la historia se repitió exactamente igual, como un *dèja vu*, como en la película El *día de la marmota*. Se juró a sí misma no volver a caer y lo cumplió. Dos veces habían sido ya mucho más que suficiente.

Si había un personaje que Eva no esperaba conocer en los ambientes de salsa, ese era sin lugar a dudas un brahmán hindú. Se llamaba Ravi, y estaba en España terminando un máster. Ravi la sorprendió desde el primer momento por su dulzura y por su amabilidad. Bailaba muy bien, siempre con una sonrisa en los labios. Eva no quiso que su relación con ese chico tan especial fuese un calco de las otras, por lo que esta vez actuó de forma diferente. Se dejó cortejar, se dejó querer y admirar en la distancia, y un día aceptó una invitación a comer, en un restaurante de su país, por supuesto.

A Ravi no le gustaba hablar de la India, ni de su familia. Cuando Eva le interrogaba, llena de curiosidad, por sus costumbres, por las diferencias que pudiesen existir en los comportamientos sociales, él se escurría, ponía excusas, y cambiaba la conversación hacia unos derroteros que no eran aquellos que habían motivado la curiosidad de su amiga. Le decía que en algunas cosas no era tan distinto a Occidente, que había tipos de gente muy diversa, con distinta formación e inquietudes, pero que no le aconsejaba vivir allí, y nada más.

Se vieron varios fines de semana seguidos. Ya no se encontraban en los lugares de salsa, sino que quedaban con anterioridad, tomaban algo y charlaban, y luego se encaminaban juntos a bailar. Eva intentaba que no le monopolizase y a él parecía no importarle. Una de las noches de sábado acabaron en la casa de ella. Ravi era efectivamente cariñoso, alegre y dulce.

No estaba muy bien dotado, pero su imaginación lo suplía con creces. Eva ya se había dado cuenta de que el tamaño del pene era algo que estaba evidentemente muy bien, pero que estropeaba en muchas ocasiones la actuación de algunos de aquellos superdotados, que se limitaban a pensar que sus grandes miembros conseguían todos los placeres del mundo por sí solos, sin mayor esfuerzo por parte de su dueño. La grata sorpresa de encontrar hombres de proporciones más reducidas consistió en constatar cómo se preocupaban en proporcionar placer con el resto de partes de su cuerpo. Algunas tardes de invierno las pasaron desnudos, en el calor del salón de la casa, mientras fuera nevaba y soplaba un viento blanco. Ravi se había dedicado a inventar o a investigar nuevas formas de dar placer a una mujer, y juntos las ponían en práctica. Eva pensaba que nada era casual, que si efectivamente las estadísticas no mentían sobre los tamaños de los órganos masculinos por países o hasta por continentes, tenía lógica que ellos hubieran popularizado el *Kamasutra*. Un día compró el propio libro, dispuesto a probar con ella todas y cada una de las posturas que se recomendaban, que eran bastantes menos de las que Eva había oído. Se dieron cuenta de que el libro, que pudo ser muy revolucionario en tiempos remotos, salvo en aquellas posiciones que exigían la flexibilidad de un atleta de circo, estaba ampliamente imbuido en el *ars amatoria* de casi todo el planeta.

Ravi le habló del sexo tántrico. Sentado uno frente al otro, con las piernas cruzadas, casi tocándose, con la música hindú de fondo, se acariciaban lentamente. Respiraban concentrados, notando cómo el aire entraba en sus pulmones y salía, caliente y vivo. Se tocaban con las yemas de los dedos los brazos, las piernas, el vientre..., muy despacio, sintiendo cada roce como una descarga de electricidad en la piel, que se erizaba a cada paso. Se besaban primero sólo con los labios, luego con las lenguas, inspirando y espirando uno dentro del otro. Cuando el placer de todo el cuerpo era ya casi insoportable Eva se sentaba encima de él y dejaba que su vagina engullese su pene lentamente, que para entonces ardía como una tea. El goce se prolongaba de tal forma que perdían la noción del tiempo y cuando deshacían su abrazo descubrían que no habían pasado veinte minutos, como pensaban, sino cerca de dos horas.

A veces él jugaba con ella. Le decía que se tumbase, que cerrase los ojos y no los abriera, pasara lo que pasara, mientras se dedicaba a recorrerla con los dedos o con la lengua. Otras veces le pedía que se hiciera un bikini de nata.

Eva no se lo pensaba dos veces. Corría a la cocina, sacaba la nata de la nevera y con ella se dibujaba un bikini perfecto, artístico, mientras temblaba de excitación y notaba cómo los pezones se le endurecían por el frío. Volvía al salón con su disfraz y disfrutaba con los ojos de adoración que él le dedicaba, con la lengua ávida que destrozaba su efímera obra de arte. La vida se le escapaba en cada gemido.

Se dejaba hacer, se dejaba amar, y las horas pasaban como en un cálido colchón de espuma, por mucho que nevara fuera. Eva le quería, a su manera, y se lo decía mientras permanecían abrazados. Ravi le juraba que también, aunque había algo en su tono que ponía a Eva en alerta. Tras el «yo también» quedaba flotando, como un objeto extraño un «pero…» que nunca llegaba a materializarse. No quería obsesionarse con esa idea. Su sexto sentido le alertaba otra vez de un peligro inminente, y si había algo que ya sabía de la vida, era que la intuición no falla.

Como en el máster de Ravi había llegado la época de exámenes, dejaron de verse con tanta asiduidad. Eva volvió a acudir a los salones de baile con la frecuencia anterior, y allí conoció a Hans, un hombre noruego que destacaba en cualquiera de las salas tanto por su altura como por lo rubísimo de su pelo, y que bailaba con mucha elegancia. A Eva le gustaba mucho. Su voz era profunda, sus manos, de dedos largos y uñas perfectas y redondas. Había viajado por todos los rincones del mundo, buscando siempre sus esencias, huyendo de las rutas turísticas. Tenía una conversación brillante y amena y una vastísima cultura, fruto de sus viajes.

Quedaron varias veces, en casa de cualquiera de los dos, y allí bebían sin cesar, fumaban marihuana que él siempre tenía y hablaban de sexo. Eran amigos, aunque siempre, tumbados los dos en el suelo, sobre las alfombras, recostados a veces el uno contra el otro, fluía entre ellos una corriente eléctrica, una nube de tensión en la que en cualquier momento podría desatarse una tormenta.

Pero la tormenta no llegaba. Hablaban durante horas de sus vidas, de sus amantes, de lo que les gustaba hacer y que les hicieran, de lo que habían hecho y cómo. Algunas de las escenas a Eva le hubieran parecido, contadas por otro, aberraciones, tal y como las veía en la mente, entre los vapores del alcohol y el humo de la cachimba. Siempre fueron consentidas por ambas partes, le dijo él, y ella lo creía. Eva hubiera probado con él a representar cualquiera de las historias que le narraba con aquella voz tan masculina y tan profunda. Entendía perfectamente que aquellas mujeres se hubieran prestado a hacer cualquier cosa que él les pidiera.

Y sin embargo, nunca pasaba nada. Se despedía de ella con un suave beso en los labios, le decía que era preciosa, y se iba.

A Hans le gustaban las mujeres de piel negra. Eva pensaba que tal vez ese era el motivo por el que no se sentía atraído por ella. Que su pelo rubio y sus ojos azules no le despertaban ningún instinto carnal. Cuando se lo contó, Hans lo negó. Le gustaba, muchísimo –le dijo–, aunque era verdad que no coincidía con su tipo de mujer ideal. Su relación era demasiado especial, su amistad era un tesoro que había encontrado en la oscuridad y no quería perderlo. Ya sabía que cualquier contacto sexual acababa implicando otro tipo de sentimientos, tanto buenos como malos, y él la quería conservar así, como estaba. Además –le añadía a veces–, seguramente la decepcionaría en la cama.

Eva no podía entender cómo podía defraudarla, y a veces se despertaba en medio de la noche, soñando con él. Cuando se lo contaba se excitaban, sin tocarse, sólo sentados juntos. El beso de despedida de uno de esos encuentros fue mas largo de lo habitual, las lenguas entraron en juego.

Volvieron a cruzar el umbral de la puerta, esta vez hacia dentro. Hans la llevó hasta su habitación, la tumbó en su enorme catre. Desnudó a Eva con mimo y le pidió que se tumbara boca abajo y que abriera un poco las piernas, quería contemplarla. A Eva el corazón le latía a tal velocidad que pensó que podría desmayarse.

Con aquellos dedos que tanto le gustaban a ella se dedicó durante largo rato a acariciarla, desde la cabeza hasta los pies.

Despacio a veces, bajando en línea, culebreando en las caderas. Eva gemía suavemente y se excitaba, se notaba húmeda, pero no quería girarse para no romper el encanto, aunque él ya estaba desnudo también y se moría por verle.

Hans le introdujo los dedos, comprobó su almíbar, probablemente se lo llevó a los labios, Eva no lo sabía. Llegó un momento en el que ella se volvió, cuando le tenía muy cerca, con la cara casi pegada a la suya, y sin dejar de mirarle a los ojos buscó con su mano entre sus piernas. Encontró que su pene no estaba rígido, como ella esperaba, sino que tenía una consistencia blanda que no iba a permitir una penetración. Se sintió un poco confusa, durante un par de segundos, pero se repuso y con sus dos manos empezó a masturbarle. Hans había dejado de mirarla a la cara. El pene se endureció un poco y él se tumbó encima de ella. Intentaron que penetrase pero no era posible. A cada intento, en cuestión de segundos, perdía la erección necesaria y Eva tenía que volver a empezar con las maniobras sin llegar a conseguir nada, hasta que ambos al unísono decidieron dejarlo y relajarse, tumbados en silencio.

Se separaron pasados unos minutos, él le acarició la cara y se levantó a preparar un té. No volvieron a hablar del tema. Comieron algo y bromearon, nada se había roto. Sólo en la puerta Eva, sin saber muy bien por qué, le dijo que quizás un día deberían volver a intentarlo, aunque no lo pensaba realmente. Él la besó en la frente y la estrechó entre sus brazos.

—Quién sabe... –fue lo único que dijo.

Cuando Eva llegó a casa, llamó a Ravi, al que hacía semanas que no veía. Seguía muy excitada, necesitaba un hombre que la deseara y que le hiciese el amor. No contestó al teléfono. Su máster había terminado y decía que estaba buscando trabajo, por España o por cualquier otro país de Europa, pero una llamada de su padre le había cambiado. Fingía ser el mismo y que todo seguía igual, pero no era cierto. Ya no le hablaba de sentimientos.

Eva llamó a Alfredo, un policía nacional aficionado al baile, de esculpido cuerpo atlético y preciosos ojos verdes con el que se había acostado un par de veces y que era realmente bueno en la cama. Habían tenido un problema unos días antes causado por el Facebook de Eva y unos mensajes en su muro que otros le habían escrito y que a él no le habían hecho gracia. Era un celoso patológico. Le había jurado una y mil veces que jamás volvería a verla, pero ella sabía que en cuanto le llamase reaccionaría. Media hora después entraba por la puerta de su casa. Eva le recibió medio desnuda, como a él le gustaba. Nunca le quitaba todo, prefería que parte de la ropa interior siguiera puesta. Se abrazó a él en cuanto llegó, aún con el picaporte en la mano, y se frotó contra su cuerpo, mimosa, como una gata en celo, mordiéndole los labios y lamiéndole los lóbulos de las orejas. Él la cargó en sus brazos, con las piernas de ella rodeando sus caderas y la tumbó en el largo mueble del recibidor. Le separó las copas del sujetador, dejando los pechos al aire y con una mano le apartó el tanga, dejando su vulva abierta y disponible. Con la otra mano se abrió los pantalones y la penetró. No habían pasado ni dos minutos desde que había entrado por su puerta y ya le tenía dentro de ella, empujando sin piedad, amasando sus senos y pellizcando sus pezones con furia. Le metía los dedos en la boca y ella se los chupaba imaginando cómo luego le chuparía el pene. Podría haberse echado a llorar de felicidad, pero no creía que él fuera a interpretarlo correctamente. Se retorcía de placer.

Alfredo conocía la casa. La levantó nuevamente, sin dejarla llegar hasta el orgasmo y la llevó hasta el comedor. De espaldas a él la colocó contra el respaldo del sofá y le hizo bajar la cabeza, de forma que así podría penetrarla como y por dónde quisiera. Tiraba del encaje del tanga hacia arriba, de forma que se lo restregaba contra el clítoris, una y otra vez, hasta que se lo apartó del todo y ella sabía lo que eso significaba.

Volvió a penetrarla, tenía el pene tan duro y era tan grande que se estaba volviendo loca. Con las dos manos a la vez le amasaba ahora las nalgas, abriéndolas, cerrándolas, dejando su otra abertura abierta a veces. Eva sabía lo mucho que le gustaba follarle el culo y jugar al pespunte por lo que se había lavado a conciencia. No iba a poder aguantar la tentación mucho tiempo, notaba sus ojos clavados ahí mismo. Le dio unos azotes, con fuerza, con la palma abierta, los suficientes para enervarla más, si eso era ya posible.

Comenzó a introducir su dedo índice en el ano, que estaba húmedo, como toda ella. Luego dos dedos, sin dejar de empujar, hasta que él consideró que estaba ya tan esponjoso como la vulva, y la penetró por detrás, arrancándole gritos de gozo.

A Eva le gustaba que los hombres le hablaran mientras la follaban, y Alfredo siempre decía lo que ella quería oír en cada momento. Sodomizada, con sus uñas clavadas en las caderas, el clítoris frotado sin piedad por la tela del tanga y los pechos aplastados contra los cojines de terciopelo, Eva se olvidó del mundo y tuvo un largo orgasmo, mientras él salía de su ano para penetrar su vulva, y luego su ano otra vez, y de nuevo la vulva, sin cesar, cada vez más rápido, cada vez más salvaje, mientras gemía y decía lo mucho que le gustaba, lo maravillosa que era, el culo tan increíble que tenía Siempre elegía la vulva para correrse, pero esta vez, tras muchas embestidas dentro de ella se inclinó sobre su espalda y agarrándola por el pelo le susurró que todavía no se la había chupado. Le preguntó si quería hacerlo y ella gimió que sí, que deseaba hacer lo que él quisiera, que quería metérsela en la boca.

Se arrodilló frente a él y comenzó a lamer aquel miembro que le gustaba tanto, a metérselo entero en la garganta, como si fuera un caramelo. Alfredo le apartó con suavidad la mano con la que ella sostenía la base de su pene y colocó la suya. Empezó a masturbase, la boca de Eva lamiendo la punta, succionando, con las dos manos sujetando sus fuertes muslos, como si volviera sedienta de vagar por el desierto y necesitase febril que manase ya aquel agua.

Ella sabía que a los hombres les gustaba mirar, que necesitaban ver, no sólo sentir, así que mientras él sujetaba su cabeza con su mano izquierda se apartó un poco, la boca abierta, para que él pudiera ser testigo de cómo su semen caía en sus labios, cómo lo recogía con la lengua, golosa, cómo relamía la punta de su pene buscando más y cómo tragaba una parte mientras otra caía por las comisuras y la empujaba de nuevo para adentro con los dedos, sin dejar de chuparlos.

Alfredo se fue unas horas después, tras la pequeña fiesta que había acabado en un misionero maravilloso, y mientras Eva se estaba quedando dormida, en su cálida y acogedora cama, el teléfono sonó dos veces. Una llamada era de Hans, la otra, unos minutos después, era de Ravi. No respondió a ninguna de las dos. No quería que nada perturbase ese instante en el que le vencía el sueño, aquél momento de paz.

3
Sara y de cómo un clavo saca otro clavo

Conoció a David en una discoteca. Sara era una madrileña enamorada de Madrid. Rendida a los pies de su diversidad de gente, del bullicio nocturno, de sus calles atestadas de coches tanto de día como de noche, de sus habitantes libres y juerguistas, de sus bares y restaurantes siempre repletos de alegres clientes y de sus *after-hours*.

Su relación con Jens estaba en una fase en la que sus ilusiones habían entrado en caída libre hacia el vacío. Había tenido algún amor de barra esporádico, nada que recordar unos días después.

Apoyada en una pared del local, inspeccionaba el ambiente. Con la copa en la mano, contemplaba abstraída la variada fauna que se movía entre los sofás y la pista de baile. Nadie interesante, al menos no lo suficiente. Eso estaba comentando con Eva y las otras amigas en el preciso instante en que por delante de sus ojos avanzaba, en dirección a la pista, un grupo de chicos. Entre ellos vio a uno, alto, rapado. Le bastó un segundo para saber que había encontrado un objetivo.

—¡Ese! —dijo a sus amigas, señalándole con el dedo mientras se alejaba.

—Pues, a por él —respondieron las otras.

Siguieron al grupo. Esa parte de la caza la consideraban la más divertida. Llegaron hasta donde estaban ellos y se situaron justo al lado, fingiendo desinterés, mientras se lanzaban señas con las miradas. Sara quedó al lado contrario del chico que le gustaba, por lo que disimuladamente y mientras bailaban, las chicas se fueron moviendo hasta conseguir que Sara quedara en el lugar adecuado. Se lo estaban pasando en grande.

Sin embargo, toda su seguridad se derrumbó en el momento en el que efectivamente le tuvo en su costado. Era incapaz de levantar los ojos del suelo. De repente y sin saber por qué le invadió un fuerte sentimiento de vergüenza. Alzó los ojos al frente y vio que Eva, que estaba delante de ella, le hacía imperiosos gestos, de «¡Mírale!».

Reuniendo todo su valor, levantó la vista. Era bastante más alto que Sara, incluso subida en sus tacones de doce centímetros, y descubrió que él estaba totalmente girado hacia ella y que la observaba. Se sonrieron, se acercaron el escaso medio metro que les separaba de distancia. Sin dejar de mirarse, él la cogió por la cintura, como para bailar, y se besaron.

Se besaron apasionadamente, sin darse un respiro, como si se fuese a terminar el mundo, como si estuviesen solos en el universo. No era un beso tímido de reconocimiento. Se mordían, se chupaban los labios, Sara le clavaba los dedos en la cadera, le incrustaba contra ella. Él le rodeaba la cintura con un brazo para retenerla pegada a su cuerpo, con la otra agarraba su pelo y tiraba hacia atrás, para obligarla a mantenerse inmóvil mientras le devoraba la boca. Sara entreabría a veces un poco los ojos mientras seguían con los labios pegados, para mirarle, y observaba a su alrededor el aura brillante de las luces que cambiaban de colores. Él también tenía los ojos entreabiertos y la luz metálica que salía de ellos la enloquecía.

Se separaron unos segundos, para respirar, para retomar un poco de cordura, Sara alucinada por lo que estaba pasando. Por estar como una hembra en celo atada por los brazos a un hombre del que ni siquiera sabía su nombre.

—Bueno, al menos… —sonrió Sara—, dime cómo te llamas.

—David, —respondió, con una risa abierta, alegre, adorable.

—Yo, Sara. —Sentía que le volvía la timidez. Le parecía un hombre guapísimo y, en ese momento, el que mejor besaba.

—¡Vaya, qué bíblico todo! —rio él de nuevo.

Y volvieron a besarse. Con más sosiego ahora, con la misma pasión pero con menos urgencia, con la seguridad de que eran el uno para el otro, sí o sí, ya aquella noche.

Cuando de nuevo se despegaron en el local, había mucha menos gente. El grupo de amigos de David ya se había ido, y sus amigas estaban al otro lado de la sala, charlando.

La miraron con guasa.

—Pero ¿qué te ha pasado?

—¡Hasta te tiraba del pelo! –reía Eva.

Había decidido llevárselo a su casa. Él le había contado que en la suya estaba su madre, por lo que allí no podrían ir. Sara nunca había llevado a su propia casa a un completo desconocido, y tenía una mínima aprensión. Sus amigas la convencieron de que al menos todas le habían visto la cara, por lo que era improbable que pasara «algo»..., que le disfrutara.

Salieron a coger un taxi sin soltarse en ningún momento de la mano. Durante todo el trayecto, David zambullía sus manos entre sus muslos, se le echaba literalmente encima, y Sara le rechazaba constantemente. Nunca había podido entender a las parejas que actuaban como si el taxista no existiera, como si fueran solos. Se moría de vergüenza sólo de pensar en dar ese tipo de mala imagen ante un desconocido. Bebida, un poco, colgada como una percha a un chico del que sólo sabía su nombre, también, pero metiéndose mano en el coche de un desconocido, con él delante, jamás.

Seguían de la mano cuando bajaron del vehículo, cuando atravesaron las puertas hasta llegar al apartamento de Sara, y cuando cerraron por fin la puerta del vestíbulo detrás de ellos.

Sólo le dio tiempo a deslizar su abrigo fuera de sus hombros y a dejarlo caer al suelo, porque David ya había comenzado de nuevo a besarla. Sin aviso, la empujó contra la pared, aún sin despegarse de ella, y metió la mano debajo de su minifalda. Sara agradeció que, como casi siempre, se le hubiera ocurrido ponerse medias y no pantis.

David la tenía sujeta contra la pared mientras la besaba con furia, la mano derecha buceando en sus bragas y obligándola a abrir las piernas. No le acarició el clítoris, no se entretuvo ni un instante en preliminares, porque conocía perfectamente su objetivo. Violentamente introdujo dos dedos dentro de ella, largos y fuertes, formando un gancho y comenzó a moverlos penetrándola una y otra vez salvajemente hasta que en cuestión de segundos, Sara tuvo un orgasmo tan fuerte, acompañado de sus gritos, que de su vulva manó a chorros un líquido cálido tan abundante que mojó el suelo y el abrigo abandonado.

Esta reacción, tan desproporcionada, fue una sorpresa para ambos. Sara se sentía un poco avergonzada. No se podía ni imaginar que dentro de ella, en alguna parte, se guardase tanta cantidad de aquel almíbar. Él se miraba un momento la mano, empapada, también incrédulo, y luego a ella, enardecido.

Llegaron a la cama. A la sorpresa inicial le siguieron un largo rato de juegos, de sonrisas cómplices, de desnudarse el uno al otro lentamente, acariciándose a la vez. Sara tuvo que rebuscar un preservativo, su nuevo amante no llevaba ninguno encima. Ese detalle le gustó. Le parecía señal, quizás ilusamente, de que no era de los que salía cada noche a meterse en la cama de la primera que encontraba.

David demostró una vez más que sus dedos, y sus manos, sabían hacer maravillas. Recorrían su abertura, exploraban su interior, pellizcaban su clítoris hasta volverla loca, y de nuevo la invadían sin piedad, arrancándole un nuevo orgasmo, nuevos gritos de placer y más líquido dulce.

Su vulva estaba tan encendida, que al tumbarse encima de ella y penetrarla sintió un placer tan intenso que le hizo arquear la espalda, sin poder evitarlo. Cuando él pensó que ya había llegado su hora, se colocó frente a ella de rodillas y abriéndole completamente de piernas la atrajo hacia sí y la penetró con furia, moviéndola por las caderas, con un ritmo que se iba acelerando, mientras gemía con fuerza. No dejaron de mirarse ni un solo instante. Ninguno de los dos cerró los ojos, y Sara enloquecía contemplando el placer que le estaba proporcionando, oyéndole llegar al orgasmo y sintiendo cómo temblaba dentro de ella, hasta que se derrumbó a su lado.

Durmieron plácidamente, felices y extenuados. A la mañana siguiente lo volvieron a hacer varias veces y se despidieron, intercambiando los números de móvil.

David no vivía en Madrid, sino en una ciudad al sur, en Granada. Sólo pasaba por allí algún fin de semana, una vez cada uno o dos meses, para visitar a su madre. Entre cada encuentro, se hablaban por teléfono de vez en cuando y poco más. David era un chico extremadamente educado y también tímido. Nunca surgía un comentario sexual entre ellos. Lo que pasaba en la cama, se quedaba en la cama. Sara esperaba siempre con ilusión que llegara el fin de semana en el que iba a verle. Le llamaba unos días antes de su regreso y le preguntaba siempre, invariablemente, si quería estar con él.

Sara no le confesaba que ella abandonaba cualquier otro compromiso, con tal de pasar con él siquiera una noche. Sus encuentros eran siempre apasionados, como si no hubiera pasado el tiempo, y se desearan con la misma intensidad del primer día. A veces llegaba a la hora de cenar, y la cena se aburría sola, sin nadie que le hiciese los honores, porque ellos ya habían comenzado su combate, sobre los sofás del comedor, en el medio del pasillo... En varias ocasiones la folló a medio desnudar, tras haberla tocado y chupado de todas las formas posibles, penetrándola sin aviso mientras le abría las piernas, de rodillas en el suelo de la habitación, levantándole la izquierda contra el colchón de la cama, empujando con fuerza mientras su clítoris se frotaba contra la colcha rugosa, una y otra vez.

Era un amante increíble, ardiente y posesivo unas veces, cariñoso y dulce otras, siempre dispuesto para ella, con sus preciosos ojos de color miel alumbrando cada habitación en la que entraba.

Cada una de sus visitas suponía invariablemente horas de sexo, horas en las que su vulva estaba casi siempre ocupada, o por su lengua, o por su pene, o por sus dedos. También invariablemente suponían que el lunes lo pasaría sentada de medio lado, con el pubis dolorido como si hubiese sido golpeado con un hierro, sintiéndole en cada roce de las bragas y pensando en él.

A veces, incluso desayunando, David se la quedaba mirando. Él ya vestido, ella en camisón, con las piernas al aire. La levantaba en vilo y la sentaba sobre la encimera de la cocina. Con suavidad acariciaba el interior de sus muslos hasta que ella se abría de nuevo y le acariciaba la abertura con cuidado, con todo el que no había tenido quizás durante la noche, y le introducía un dedo muy despacio, muy lentamente, y no le quitaba los ojos de ahí, como si hubiera descubierto un precioso tesoro, y abrazados y besándose la penetraba de nuevo, y a Sara el placer le producía ya ganas de llorar de felicidad y de no volver a cerrar las piernas nunca.

Siempre se iba pronto. Nunca pasó todo un día con ella. Las mañanas y las tardes estaba con su madre, o con sus amigos, o con quien fuera, pero no con Sara, aunque supiera que ella se quedaba sola. Si él pasaba en Madrid más de dos días daba igual, sólo le veía uno.

A Sara le hubiera gustado compartir algo más de sus vidas pero David era hermético. Jamás hablaba sobre sí mismo, ni sobre nadie de su entorno, no sabía nada de él. No estaba casado, no tenía novia, eran sus únicas certezas.

Aunque esta relación curó a Sara de su insana obsesión por Jens, consiguiendo que su recuerdo fuese una constelación lejana en el espacio, pronto comenzó a darse cuenta de que tal vez fuera ella misma la que debería de cambiar, porque se había enamorado de nuevo, y sufría más y más cada día. Había confundido de nuevo sexo y amor.

Incluso si Sara le llamaba más de dos veces a la semana, con cualquier excusa, sólo para oír su voz y saber si estaba bien, parecía que se rompía el delicado equilibrio de lo que eran los límites sagrados de la intromisión en su vida privada. Entonces le decía que la próxima llamada la haría él, y pasaba una semana, y otra semana, hasta que él recordaba su existencia, o consideraba que ya había dejado transcurrir el tiempo necesario, y el teléfono sonaba, y del otro lado salía un alegre «Hola, ¿qué tal estás?, ¿qué haces?», despreocupado y risueño, como si no ocurriese nada.

Ella se resarcía de su abandono acostándose con otros hombres, algunos de ellos apasionados caribeños que conocía mientras aprendía salsa con su amiga Eva y las demás. Hombres deliciosos a veces con los que follaba sin cesar y a los que se permitía el lujo de olvidar pasadas unas horas, aún con la sensación de sus penes y de sus lenguas entre sus piernas.

Se armó de valor un día, en el que David había quedado en llamarla, y en lugar de eso le envió un mensaje: «Estoy cansado, ya te llamaré mañana. Adiós». Contestó con otro mensaje: «No vuelvas a llamarme ni a escribirme nunca jamás». Ese fue el fin. No hubo más respuesta. Se había arrancado el clavo del corazón, sin anestesia ni nada.

Al sacarlo pudo comprobar que había hecho lo correcto, porque el clavo estaba oxidado y la estaba infectando por dentro. Era lo correcto, pero dolía. Vaya si dolía.

4
Eva y la vida en la agencia

Eva sentía lástima por toda esa gente para la que levantarse el lunes por la mañana para ir al trabajo suponía una tortura similar a la de un interrogatorio de la Inquisición.

Ella sólo lamentaba no poder remolonear un rato en la cama, con las sábanas revueltas entre las piernas y abrazada a la almohada. El hecho en sí de acudir a su oficina era sin duda gratificante. No sólo porque trabajaba en algo que le apasionaba, era creativa en una agencia de publicidad, sino porque el equipo de personas con las que colaboraba todos los días era, directamente, como una panda de amigos.

El grupo se componía de cinco personas. Tres hombres y dos mujeres, una de ellas, Eva. La otra era la elegante y enigmática Nina. Los hombres, algo más jóvenes que ellas, eran Daniel, un muchacho dulce y absolutamente gay, Sebas, su sombra, y Miguel, un caballero andaluz de ojos grises y risa contagiosa.

Se habían conocido un par de años antes y la relación entre ellos era estupenda. Ninguno pretendía destacar sobre los demás, los *brainstorming* terminaban siempre con todo el equipo destrozado por el suelo de la risa y se ayudaban en todo lo que podían y hasta en lo que no. Nina era además una jefa excelente, motivadora y solidaria.

Los primeros dos años terminaban la jornada laboral, generalmente muy tarde, y cada uno se iba a descansar a su casa.

Una de aquellas ocasiones, en la que el proyecto había sido vendido, aplaudido y trending topic en todo el mundo occidental, decidieron salir a celebrarlo.

Tras ir a cenar a uno de los restaurantes más caros y glamurosos de la ciudad, Sebas les llevó a las doce de la noche a un lugar insospechado a tomar una copa… a una galería de arte. Frente al escaparate, oscuro y cerrado, todos miraban a Sebas, menos Daniel, que se reía. Llamó a la puerta. Dio tres golpes y alguien abrió. Divertidos y asombrados, siguieron al hombre que les había abierto, dejando atrás las esculturas de exposición y los floridos bodegones, hasta una puerta que daba paso a unas escaleras hacia abajo. Allí, en una íntima penumbra, había un bar. A la izquierda, en un largo pasillo, pequeñas mesas con cojines en los que reposaba gente, que charlaba y bebía, reía, se besaba. A la derecha, la barra, que atendía la mujer más increíble que Eva hubiera visto jamás. Altísima y delgada como un junco, de grandes pechos y pelo rapado. Si alguna mujer de las que Eva había conocido merecía el calificativo de «diosa», la tenía delante. No podía dejar de mirarla. Ella le dirigió sus ojos de gata egipcia, y les señaló con un brevísimo giro de su perfil perfecto un rincón para ellos.

Bebieron y rieron hasta altas horas de la mañana. Comenzaron a hacerse confidencias. A nadie le sorprendió que Daniel y Sebas estuvieran liados. Más que liados, eran pareja desde hacía más de un año. Lo que los demás no esperaban era que Nina y Miguel también lo fueran. Eran amantes, Nina estaba casada, todos conocían a su marido, por las cenas de Navidad de la empresa a las que asistían las parejas, Miguel también, por supuesto. Eva estaba estupefacta, y encantada.

Tomaron por rutina acudir cada viernes por la noche a ese lugar secreto. Entre los cojines, los licores, la música suave y envolvente, hablaban de sexo. Sebas y Daniel ya no se ocultaban. Se sentían libres y lo demostraban, mirándose con deseo, tocándose y besándose a veces. Nina y Miguel también, pero eran más comedidos. Quizás carecían ya de esa pasión infantil que aún embargaba a los otros.

Eva observaba a la chica de la barra, siempre erguida, como una roca rechazando los envites de todos los hombres que se le acercaban babeantes en cuanto reunían el valor suficiente. No sabía qué les decía, pero lo que fuera era suficiente para hacerles irse con el rabo entre las piernas, nunca mejor dicho, y que siguieran contemplándola en la distancia, con el vaso en la mano, como perritos abandonados. Eva nunca le habló.

El ambiente mágico de aquel lugar les llevaba a todo tipo de cuentos y de historias. Daniel les explicó cómo hacer una felación, cómo lamer en círculos la punta, en qué momento introducirla del todo en la garganta. Salían de allí siempre en un sobrealterado estado de excitación.

Una noche, tras terminar la cena, Nina propuso cambiar los planes y tomar las copas en su casa, ya que su marido no estaba. Miguel salía de viaje al día siguiente, muy pronto, por lo que se despidió del grupo. Por su parte, Eva había quedado con Javier, un amigo con el que se había acostado alguna vez. Ya era tarde para darle plantón, así que le dijo, un poco de mala gana, que se fuera con ellos. Javier no le gustaba en realidad, esa era para Eva una de esas citas de las que luego se arrepentía. Como amante era pésimo, y su mayor diversión consistía en ponerse los tangas de Eva y exhibirse así delante de ella. Hubiera preferido estar a solas con sus compañeros de trabajo, pero se aguantó.

Ya en el lujoso chalet de Nina pusieron música y comenzaron a tomar gin-tonics, uno tras otro. Nina era una experta en preparar este tipo de bebidas. A unos les añadía rodajitas de pepino y a otros trocitos de fresa o pétalos frescos de rosa. Bebían conscientemente, y en el punto de no retorno, comenzaron a bailar. La luz era muy tenue, sólo pequeñas lámparas indirectas, que les envolvían en un ambiente oscuro e íntimo.

Eva se movía en el centro del salón, con el vaso en la mano. Sebas se le unió, bailando frente a ella, cada vez más cerca, hasta que estuvieron totalmente pegados, sus cuerpos se movían al compás, sin tocarse con las manos, sólo los torsos y las caderas, las caras muy juntas, cada boca en la oreja del otro, oliéndose el pelo.

Daniel se unió a su baile, por detrás de Eva, igual de pegado que Sebas por delante, de forma que parecían uno solo, los dos hombres apretando contra ella, rozando sus penes contra su vestido, con sus alientos recorriendo su cuello. A Eva le gustaba mucho esa sensación, sentía que sus piernas comenzaban a temblar, de puro placer sensual y extrañamente a lo que en otro momento pudiera pensar, no sentía que estuviera haciendo nada raro.

Nina bailaba sola unos pasos más lejos. Eva la observaba, era una mujer preciosa. Llevaba el pelo suelto y negrísimo, que le caía sobre la espalda que el vestido dejaba al aire. En la empresa tenía fama de persona dura e irascible, pero ahora ella sólo podía percibir su fuego. Lo había notado desde el mismo momento en que la conoció y le tendió la mano. Un guante de seda en un puño de hierro. Eva quería probar ese guante ya desde entonces, sin saber por qué.

Se separó de los hombres, que se unieron como imanes el uno al otro y fundieron sus bocas al instante. Eva se acercó a Nina, y comenzó a bailar con ella como antes con Sebas. Quería provocarla, ver cómo reaccionaba a su acercamiento. Nina respondió acercándose aún más, moviendo sus pechos sobre los de Eva suavemente, de izquierda a derecha, con el balanceo de su cuerpo. Era verano y los vestidos de ambas eran muy ligeros, de tela muy fina, así como los sujetadores, por lo que las dos notaron cómo los pezones de la otra se endurecían con el roce, como atendían a la llamada furiosos, deseando ser mordidos.

Nina deslizó las manos por el vestido de Eva, levantándoselo, acariciando sus caderas, sus nalgas, su cintura, y siguió deslizándose hacia arriba por sus costados hasta que se lo sacó. Eva copió todos sus movimientos. Nina tenía la carne firme, se notaba las horas que dedicaba al ejercicio, y la piel satinada y pulida. Se miraban traspasadas de deseo, los pechos y los pubis unidos. Estaban a punto de besarse, de juntar sus lenguas, cuando Javier apareció en escena.

Se habían olvidado ya de él. Desde que llegó a la casa se había limitado a sentarse en una mesa junto a una botella de whisky y observar. Se puso desnudo entremedias de las dos y las hizo separarse, quería que ambas se frotaran contra él, pero ellas se habían disgustado. Había roto el momento mágico y ya nada era como antes. El instante había dejado de ser sensual, se había estropeado como una buena película por un anuncio publicitario no esperado y ellas no quisieron continuar. Dijeron que estaban muy cansadas, que ya era hora de dejar la fiesta. Eva avisó a Daniel y a Sebas, que salieron del baño cogidos de la mano, y se fueron a sus casas.

Cuando Eva llegó a casa estaba muy excitada. No conseguía dormirse, sólo podía pensar en lo que había ocurrido, en las sensaciones que le habían proporcionado aquellos dos hombres, y sobre todo en Nina. Se masturbó pensando en ella, acariciando su clítoris pensando en el cuerpo de la otra, en la suavidad de su piel, en cómo la había acariciado. Se provocó un orgasmo larguísimo, que le hizo retorcerse y gritar con las manos dentro de las bragas, empapadas de deseo.

A la mañana siguiente se rieron recordando la noche anterior. Miguel se lamentaba por e-mail de que lo mejor hubiera ocurrido cuando él no estaba delante. Aquello no había estropeado la relación del grupo sino que la había fortalecido. Ahora todos ellos tenían un montón de secretos que compartir. Tanto Daniel como Sebas habían tenido relaciones con mujeres en el pasado, jugando en ambos campos casi hasta el día en que se conocieron.

Siguieron saliendo, como de costumbre. Su pequeño jardín oculto de los viernes por la noche era algo a lo que ninguno de ellos quería renunciar. Aunque hablaban a veces de lo que había ocurrido aquel día, no habían vuelto a repetirlo, hasta que llegó el cumpleaños de Nina, y les invitó a cenar en uno de los mejores restaurantes de la ciudad. Mientras cenaban, Nina y Miguel se acariciaban por debajo de la mesa.

Daniel estaba de viaje de trabajo, igual que el esposo de Nina. La casa estaba libre, les dijo, así que podían tomar allí «la última». Durante toda la cena estuvieron riendo, recordando la otra noche. Los comentarios de Nina eran cada vez más calientes y directos. Confesó lo mucho que le había gustado ver cómo Sebas y Daniel apretaban a Eva entre sus cuerpos, y cómo recordaba los dedos de esta subiendo por sus caderas. Sebas les enseñó las fotos que tenía en su móvil, con Daniel haciendo el amor. En algunas se besaban apasionadamente, en otras él penetraba o Daniel le hacía una profunda felación. Eva no podía dejar de temblar por dentro. Siempre le habían excitado las relaciones que se salían de lo normal en su mundo, y en su casa tenía vídeos de gays o de lesbianas que se ponía a veces para masturbarse.

Ya en el chalet de Nina decidieron ir directamente al asunto que a todos les bullía en la cabeza. La anfitriona trajo un mazo de cartas, una baraja española, y les propuso jugar a las prendas. Los tres aceptaron encantados, y antes de que Miguel hubiera empezado a repartir ya estaba Nina sin vestido, pretextando que quería enseñarles su ropa interior nueva, un sensual conjunto semitransparente de braguita y sujetador en tonos negros y beige. Todos estaban muy excitados, la electricidad corría entre ellos como una serpiente, Eva la sentía subiendo y bajando por su espalda, sin cesar.

Jugaban a la carta más alta, y por turnos cada uno iba eligiendo la prenda que otro debía quitarse. La primera fue Eva, que eligió que Nina se quitara el sujetador. Tanto Miguel como Sebas le siguieron el juego, y jugaron muertos de risa a dejar a Nina la primera completamente desnuda. Ella se reía también, y prenda a prenda fueron quedando los cuatro como cuando vinieron al mundo. Le tocó el turno a Eva y cambió el juego.

—La carta más alta deberá chupar el pene a Sebas durante un minuto —exclamó.

Todos se alborozaron, sobre todo cuando el que sacó la carta fue Miguel. Sin pensárselo dos veces se inclinó sobre él y se metió el miembro en la boca, que para entonces ya llevaba un buen rato en erección. Nina y Eva escuchaban los gemidos de Sebas con reverencia. Cuando Nina dijo que el minuto había pasado Sebas sonrió con un «qué pena» que hizo reír a todos. Le tocaba el turno a él, que eligió que la carta más alta le chupara los pechos a Nina durante otro minuto. «Sólo chupar, no manosear», puntualizó. Tanto Miguel como Eva sacaron un rey, por lo que ambos se arrodillaron delante de ella y cada uno se dedicó a una de sus tetas, mordiendo los pezones, lamiendo en círculos con sus lenguas al rojo vivo. Eva había colocado una de sus rodillas entre las piernas abiertas de Nina y de vez en cuando la movía un poco, para darle aún más placer.

Así siguieron un buen rato, chupándose y besándose por turnos, hasta que todos los sabores de todos estaban en todas las bocas y en todas sus partes más íntimas.

En una de las rondas, mientras Eva de rodillas lamía y sujetaba con una mano el pene de Miguel (en esa fase ya sí se podía) que estaba tumbado gozando, Sebas alargó su brazo entre las piernas de ella y desde atrás le introdujo dos dedos por la vagina. Aún le gustaban las mujeres. A Eva, la sensación de tener un pene en la boca y los dedos la trastornó de tal forma que gimiendo se tumbó encima de Miguel, que la recibió con un beso húmedo y violento. Sebas seguía detrás de ellos y sacó los dedos. La ausencia le resultó a Eva tan insoportable que buscó con la mano el pene de Miguel y se lo introdujo despacio, disfrutándolo bien. Sebas empezó a introducirle a Eva uno de aquellos dedos impregnados de su propia esencia por detrás. Era un experto en culos, eso era evidente. Eva se retorcía y mientras Sebas ya tenía dentro dos dedos con los que iba abriendo con mimo un hueco, Miguel le ayudaba abriéndole las nalgas con sus manos, para que su amigo no encontrara impedimentos. A la vez empujaba dentro de ella y le mordía los labios. Eva sintió cómo el pene de Sebas se deslizaba despacio dentro de ella. Era una sensación increíble tener dos penes en su interior. A los primeros segundos de sorpresa siguió un placer que no había imaginado. Los dos hombres se movían imparables, cada uno a su ritmo, y gemían y gritaban los tres sin cesar, sobre todo cada vez que los dos miembros viriles se tocaban. Eva miraba a Nina, que se masturbaba con las piernas totalmente abiertas mientras les observaba, con los ojos clavados en ella. Se sentía... sucia..., según los cánones de comportamiento aprendidos... Se sentía bien.

Los dos hombres se corrieron casi a la vez, locos de placer. Eva unos minutos más tarde, apretando sus músculos internos una y otra vez, abrazándoles a ambos aún dentro de su cuerpo. Sebas salió de ella y se desplomó en un sofá. Miguel volvió la cara hacia Nina, extendiéndole la mano, que respondió a su movimiento chupándole los dedos. Se besaron. A Eva le gustaba mirarles, había mucho amor en sus gestos, no sólo lujuria. Miguel se colocó detrás de su amante, con el pene de nuevo erecto, y la penetró con cuidado, sujetando con una mano sus caderas y con la otra bajando hacia su clítoris.

Nina gemía y se retorcía, sin dejar de mirar a Eva, que se acercó a ellos gateando por la alfombra, hasta que llegó a su altura. Quería colaborar en la tarea de darle placer a su amiga, y deslizó su mano entre sus piernas, para frotar su clítoris, que estaba suave y húmedo. Nina también quiso tocarla a ella y le acarició los pechos, luego la hizo incorporarse, hasta que metió su cabeza entre las piernas de Eva y le lamió el clítoris, con avidez.

Miguel salió de Nina con el mismo cariño con el que había entrado y se tumbó en la alfombra, exhausto, mirando cómo las dos mujeres se cogían de la mano y desaparecían camino de la habitación de su chica.

Dentro del cuarto, se abrazaron apasionadamente. Juntaron sus bocas con lujuria, mientras con las manos se tocaban en todas las redondeces y huecos disponibles. Eva sentía que era la primera vez con una mujer, aunque no lo fuese en realidad. Esta vez sólo había deseo y voluntad de gozarse la una a la otra. Nina no dejaba de apretarle los pechos y de retorcerle los pezones. Bajó hasta ellos para mordérselos, mientras le decía que siempre había deseado hacer eso, desde el mismo instante en que la conoció. Estar así, desnudas, y ella mordiéndole, oyendo sus gemidos.

Los chicos no les dejaron terminar. Las llamaban desde el salón, tenían que irse. En la puerta todos se despidieron con un beso en los labios.

Nina tuvo que irse a la oficina de Nueva York un par de meses, y se llevó con ella a Miguel. Los demás siguieron saliendo de vez en cuando, pero algunos compañeros de otros departamentos se les quisieron unir al enterarse de que se reunían a tomar algo tras el trabajo y aunque se lo pasaban bien, no era lo mismo. Se echaban de menos.

Cuando se terminó el proyecto en los Estados Unidos, Nina y Miguel volvieron. Eva esa noche tenía plan, había quedado con sus amigas para salir, y le insinuó a Nina que se uniese a ellas. Fueron a cenar, y después a una discoteca. Había pasado tiempo desde la última vez que se habían visto, desnudas, en casa de Nina, pero ambas se excitaron al verse, y al darse un discreto beso de saludo en las mejillas mientras se rozaban los brazos.

Eva no podía quitarse de la cabeza el recuerdo de la lengua de Nina en su vulva. Avanzada la noche, las dos se fueron juntas a los baños del local.

Las mujeres van juntas a los baños, incluso entran juntas y cierran la puerta, y fuera nadie sospecha que hay veces que inmediatamente se lanzan la una contra la otra, y se besan ansiosas; que se levantan las faldas, se suben las blusas, y meten las manos en las bragas de la otra, y que se masturban mutuamente enfebrecidas con los dedos.

Intentaban no hacer ruido, fuera retumbaba el sonido de la música de la discoteca, pero se estaba acumulando la gente al otro lado de la puerta, y alguien comenzó a aporrearla.

Tuvieron que soltarse a su pesar y salir, otra vez sin satisfacer completamente su placer, dejándolas aún más calientes y húmedas que cuando empezaron.

Se despidieron de las amigas de Eva y se fueron a casa de esta. En cuanto cerraron la puerta tras de ellas se sintieron libres, y al fin solas. Se arrancaron la ropa de forma salvaje, haciendo saltar los botones de las blusas. Llegaron a la habitación besándose y tocándose por donde querían. Se chupaban los pechos, se metían los dedos por la vagina, todo a un ritmo alocado y frenético que no podían parar. Eva sacó los vibradores que tenía en el cajón, y cada una le introducía a la otra el que tenía en la mano, haciéndose gritar mutuamente, azotándose en las nalgas con las manos abiertas. Las dos se corrieron, tuvieron un orgasmo tras otro.

Cuando terminaron, exhaustas, felices, se pusieron a charlar. No se acariciaban la una a la otra porque ya no hacía falta. El deseo por fin se había satisfecho, entre ellas no había amor, sino una lujuria pasajera y explosiva en forma de gato salvaje al que había que domesticar de alguna forma, y que ahora ronroneaba entre sus piernas, durmiendo tranquilo. Hablaron de sus cosas, de Nueva York, de sus amantes, como las amigas que eran, hasta que les venció por fin el sueño.

5
Sara y la extraña aventura cubana
ை

El socio mayoritario del despacho de abogados al que entró a trabajar Sara aquel invierno había decidido, en uno de esos arrebatos místicos que tienen los que lo saben todo en la vida, que Fidel Castro estaba a punto de entregar su alma a la Parca, por lo que un mercado como el cubano no podía quedar sin explotar. Se suponía que el paraíso de las reformas, de la democracia y del mercado libre irrumpiría en la isla a ritmo de salsa en unos pocos meses, por lo que era necesario estar bien situados. Un despacho abierto y funcionando, bien conectado con Europa, sería sin duda irrenunciable para todos aquellos habitantes de Miami que esperaban agazapados el momento de volver a la isla, a invertir.

Sara sospechaba que esos conocimientos eran parte de los adquiridos entre las sábanas de las muchas jineteras que su nuevo jefe había conocido en sus múltiples viajes de reconocimiento a La Habana. Nada era un secreto en aquellas oficinas, ya que era un mundo enteramente masculino, y tanto los socios como los abogados, se explayaban largamente durante las horas de la comida en contar sus batallas sexuales extramaritales. Cómo eran sin ropa esta o aquella, lo que hacían la una o la otra, y lo muy satisfechas que quedaban, en la totalidad de los casos.

Sara se reía de ellos para adentro y no hacía muchos comentarios, para no volver la máquina lujuriosa de los comentarios malintencionados de sus compañeros contra ella.

Se le encargó entonces la tarea de pasar una semana en La Habana, observando los avances de la nueva sede abierta allí hacía menos de un mes por una colega, comprobando cuáles eran sus necesidades y haciendo cuantas visitas de cortesía fueran precisas. Y para aprovechar el viaje, pidió una semana más, de vacaciones, para poder disfrutar de la isla todo lo que pudiera. Un sueño hecho realidad, en otras palabras.

Las referencias que había recibido desde el mismo momento en que su nombre sonó para realizar ese viaje no podían ser peores. Todo el mundo le advertía y le hacía bromas sobre los cubanos y su fama, sobre lo que haría o dejaría de hacer allí, y sobre las muchas aventuras que sin duda le esperaban. Oyó ejemplos que le pusieron los pelos de punta, contados por hombres (siempre le había ocurrido al amigo de un amigo) y no quiso creer la mitad de ellos. También le dejaron libros, algunos de un tal Pedro Juan Gutiérrez que le impactaron mucho, sobre todo, *Trilogía sucia de La Habana*, y *Animal tropical*, y esperaba que nada de todo aquello fuera verdad.

Como a cualquier europeo, la palabra Caribe le traía toda clase de imágenes idílicas sobre palmeras, mojitos, y arenas blancas. Cuba para los españoles evocaba aún mucho más, una especie de Jerusalén soñada, cuya pérdida dejó hundida la autoconfianza del país durante siglos, como la de una hermosa mujer madura a quien su esposo abandona por una... *cheerleader*.

En el aeropuerto José Martí esperaba a Sara un guía, contratado expresamente para ayudarla en los primeros días, enseñarle la oficina recién inaugurada y facilitarle en lo posible todos los trámites necesarios. Se llamaba Ezequiel y era un hombre atractivo, de rasgos blancos pero piel canela, que lucía una impecable camisa de cuadritos rojos y una gorra de pescador con la que Sara volvería a verle en cada ocasión.

Avanzaron hacia la ciudad en el coche más destartalado en el que Sara había subido jamás. Le faltaba todo el recubrimiento interior de las puertas, las ventanillas estaban atascadas ya que les faltaba la manivela, y los asientos de cuero rojo estaban tan desgastados que en algunos puntos se veían los muelles y Sara temió romperse la falda.

El Malecón le pareció un lugar increíblemente hermoso, con el mar a la izquierda y la fila de edificios medio ruinosos a su derecha, que debieron ser tan imponentes cuando se construyeron, tan señoriales. A muchos de ellos les faltaban las ventanas, y en otros se secaban al aire las ropas de los vecinos. Algunos tenían livianas columnas, que hacían parecer al edificio bailarinas en punta temiendo mojarse los pies. El taxista llevaba la música de salsa atronando la avenida y era casi imposible entenderse. Que la ventana no pudiera cerrarse comenzó a ser un suplicio cuando se acercaron aún más al centro, ya que el humo que desprendían los tubos de escape de los coches era denso, negrísimo, y el olor a petróleo puro se introducía hasta los pulmones, bien adentro.

La nueva oficina estaba situada en el paseo de Martí, junto a la plaza llamada Parque Central. El edificio era de color azul. El Hotel Inglaterra, estaba muy cerca. Sara no pudo evitar fijarse en los grupos de chicos que deambulaban por allí, casi todos ellos negros o mulatos y evidentemente sin nada mejor que hacer. Le parecieron muy atractivos. Se la quedaban mirando y estaba segura de que si no se le acercaban a decirle algo era por la mera presencia de Ezequiel a su lado, a quien sólo le faltaba echarle el brazo por los hombros, por lo paternalista y protector que se mostraba con ella.

La oficina era un lugar espacioso, pintado de blanco inmaculado, y decorada con plantas y viejos cuadros al óleo de batallas navales. Al fondo, sentada ante una mesa de despacho y rodeada de papeles, estaba la abogada a la que había ido a conocer, Yamileth. Se levantó con una sonrisa en los labios y se acercó a darle un cariñoso beso en la mejilla. Era una mujer joven, alta, delgada y muy bonita, con un precioso pelo rizado negrísimo y la piel morena clara.

Congeniaron enseguida. Ezequiel quedó en llegar más tarde, para llevar a Sara de vuelta a su hotel. Mientras Yamileth charlaba sobre los muchos expedientes que les estaban llegando para adquirir viviendas, ya que se suponía que en breve el Gobierno iba a permitir la compraventa de casas entre particulares, Sara se asomó a una de las ventanas que daban al Parque. Quería volver a ver, discretamente, a uno de los chicos mulatos que estaba en uno de los grupos que había visto antes y que le había gustado especialmente. Le observó durante unos segundos, admirando lo que se adivinaba: un cuerpo perfecto dentro de unos abultados vaqueros y una camiseta blanca, cuando de repente él levantó la vista y la miró. Sara dio un respingo porque no se lo esperaba. Se miraron durante un instante y el chico sonrió e hizo además con un brazo en su dirección, diciéndole que bajara.

Se apartó de la ventana, confusa y un poco alterada. «Ni que me hubiera olido», pensó, e intentó reconectarse a la conversación sobre legislación inmobiliaria en la que Yamileth estaba enfrascada, mientras agitaba expedientes, pero su mente bajaba constantemente las escaleras del edificio a encontrarse con el muchacho.

Estuvieron más de una hora viendo documentos, casos concretos, hipótesis varias sobre cómo sortear tal inseguridad jurídica o tal otra. Sara empezaba a pensar que ser abogado en ese país en el que sólo mandaba una persona, requería la astucia de un zorro y mucha suerte.

Cuando salieron a la calle rumbo al restaurante ya no estaba el chico. Sara suspiró aliviada, no le había parecido que tuviese ni veinte años, y no quería ser partícipe nada más llegar de una de esas historias que había escuchado tantas veces antes de emprender el viaje.

Yamileth ya había demostrado ser una excelente conversadora. Durante la cena le contó detalles de su vida, como que había vuelto a trabajar a La Habana después de darle muchas, muchísimas vueltas. Su marido, suizo, se había negado al principio, pero lamentablemente para él, su empresa aceptó sin problemas trasladarle a las oficinas del golfo de México, con lo que cada viernes después de comer llegaba a su hogar habanero, hasta la noche del domingo siguiente.

A ella, que había vivido en La Habana hasta los ocho años, le atraían sin poder evitarlo los recuerdos emborronados y dulces de la infancia, la ensoñación de unas calles en las que todo eran juegos y malanga. No habían pasado ni tres meses desde su llegada, y ya se había arrepentido, le confesó.

Ahora no le quedaba otra que aguantar, al menos un año, hasta que el despacho empezase a hacerse un nombre.

—Éramos muy pobres, –le contó entre bocado y bocado–. No he apreciado realmente la diferencia hasta que he vuelto. Mi padre nos había abandonado hacía muchos años, y mi madre era jefa de pediatría en aquel hospital.

Y señaló con el dedo un lugar que debía hallarse quizás no muy lejos, atravesando las paredes del restaurante, las callejas, los edificios oscuros... La mente de Sara ya deambulaba por las calles, y volvió a su sitio al comprobar que Yamileth continuaba hablando.

—El sueldo de mi madre no alcanzaba para nada, así que de vez en cuando se iba a jinetear al Malecón.

Lo dijo con la misma naturalidad con la que hubiese dicho que de vez en cuando salía a comprar un kilo de tomates, por lo que Sara intentó mantener la misma cara con la que había oído el resto de la conversación. No podía imaginarse esa escena en su casa, con una madre doctora, saliendo por la puerta a cazar algún turista con el que acostarse por dinero.

—Pero tuvo suerte, y un día se enamoró de un suizo, un buen hombre.

«Se enamoró el suizo de ella», pensó Sara, pero no dijo nada. ¿Y qué buscaba él en el Malecón, en cualquier caso?

—Y el suizo se la llevó a Ginebra. A ella y a sus hijas, claro, a mi hermana y a mí. Ha sido un buen padre para nosotras...

Yamileth se quedó callada unos segundos. Sara no se atrevía a hacer ningún comentario, ni ninguna pregunta, no quería por nada del mundo ofender a su nueva amiga. Y además, ¿quién era ella para juzgar a nadie?

—Mucho cuidado con los hombres de aquí –dijo de repente, sonriendo.

—Ah, bueno... serán como el resto, supongo.

—Ah, no, no, yo sé lo que me digo. Yo sólo te aviso, mi amor. –Yamileth sonreía de nuevo–. Que luego no me vengas con lamentos, ¿eh? Además, son muy machistas. Y te la pegan con la primera que se les cruza por la calle. Yo, mira, con un cubano... ¡ni muerta!

Era viernes y Yamileth y Sara se despidieron hasta el lunes siguiente. Esa noche Sara apenas pudo dormir. El *jet lag* siempre le había afectado mucho, y cualquier cambio en los ritmos del sueño le dejaba los ojos abiertos durante horas. Era una suerte haber planeado el viaje de aquella manera. De esa forma, tenía todo el fin de semana por delante para adaptarse al cambio horario y a la nueva ciudad.

Consiguió dormirse al final, por lo que despertó muy tarde, y con una exultante sensación de felicidad. Era consciente ahora de lo mucho que necesitaba unas vacaciones, y aquel viaje lo era, en realidad. No iba a tener derecho casi a días libres reales en el despacho al ser nueva, por lo que debía aprovechar esos días todo lo que pudiera.

Llamó con su móvil a Ezequiel para avisarle de que ya estaba lista para comenzar la visita a la ciudad y este le citó en la plaza de la Catedral, que no estaba lejos de su hotel.

Le sobraba tiempo, por lo que paseaba lentamente por las calles, disfrutándolo todo. Hacía calor, y se había puesto un vestido ligero, que le resaltaba la figura y con el que se sentía muy bien. Todos los hombres que pasaban a su lado, solos o en grupo, tenían algún piropo para ella. Oyó decenas de veces «¡Linda!», «¡Belleza!» y hasta un «¡Pero qué cosas más bonitas hace España!» de un señor muy anciano que le enterneció. Le resultaba agradable escucharlo.

Ezequiel llegó puntual, con su gorra de pescador a la cabeza. Fue un guía excelente, divertido y ameno.

La música sonaba, o mejor dicho, taladraba, cada calle de La Habana Vieja. Recorrieron el Paseo del Prado, la calle Obispo, con sus edificios renovados, tan limpios como acabados de hacer. Parecía que en cualquier momento saldría por una de aquellas puertas un caballero del siglo XVII, atusándose el bigote.

—Y aquí se acabó el sueño —exclamó Ezequiel al llegar junto al Capitolio.

Efectivamente, en ese punto se debió de acabar el dinero, o la ayuda extranjera a la recuperación de la ciudad, porque de repente la postal se transformaba en un edificio al borde del derrumbe.

La sensación que le producía La Habana a Sara era la de una ciudad paralizada en dos épocas de su historia: el colonialismo y los años cincuenta. Como si se hubieran realizado dos instantáneas simultáneas, que pendiesen del cielo colgadas como ropa de tender, y por las que la gente deambulaba, bullanguera y ajada. La fotografía colonial lucía más viva, más alegre, como retocada y pintada a mano. La otra se desmoronaba y perdía pedazos. Los edificios de mediados del siglo xx, los cochazos americanos azules y rojos, pasaban por el giroscopio una y otra vez, cada vez más oxidados, a cada vuelta más decrépitos.

El Capitolio y su cúpula se erguían impresionantes y orgullosos alrededor de la pobreza, tan evidente. A Sara le venía a la cabeza la canción aquella... «¿Quién me ha robado el mes de abril? ¿Cómo pudo sucederme a mí?».

Visitaron varios lugares, todos ellos los típicos visitados por turistas, pero cuya parada es obligada, como La Bodeguita del Medio.

— «¡La bodeguita del miedo», la llamamos nosotros, por lo cara que es! —rio Ezequiel.

Allí buscaron un huequito en el que Sara pudiera, cómo no, estampar su firma. El local tenía un extraño aspecto grafitero, con tantos litros de tinta emborronando las paredes, que no le acababa de convencer.

No paraban de beber y picar algo en todos los locales por los que pasaban y siempre, invariablemente, pagaba Sara la cuenta, por grande o pequeña que fuera. La llevó a un restaurante, elegante y refinado. «Caro», pensó Sara y tras ayudarla a acomodarse en la mesa, se retiró. Ella entendía que las reglas del juego eran: «O pagas tú, o yo no como». Sara se sentía extrañamente avergonzada por su situación de privilegiada, avergonzada por su dinero. Le hizo sentar con ella. Pidieron langosta.

—¿Y tú siempre has trabajado para la Oficina del historiador?

—Sí, siempre. Entré hace quince años, tuve muchísima suerte.

—Pero tú tienes una carrera, ¿no?

Sara tenía en la mente la vieja idea que se vendía en Europa, sobre que en Cuba realmente estudiaba todo el mundo, y que la ciudad era un hervidero de abogados, médicos y físicos nucleares, aunque condujesen un taxi.

—Si te refieres a qué estudié, soy enfermero.

—Ah... ¿Y está mejor pagado este trabajo tuyo que la enfermería?

Ezequiel cambió el semblante. Sara ya empezaba a ser consciente de cómo se les cambiaba a los cubanos la expresión cuando hablaban de su realidad, de algo que no fuese salsa o ron.

—¿Sabes lo que gana un médico, o un abogado, un ingeniero, aquí en Cuba? 21 CUC. Diecisiete euros de los de ustedes.

—Madre mía... Pero la cartilla de los alimentos básicos al menos cubre lo más importante, la alimentación del mes, y como el resto de servicios son gratis...

—La ración de la cartilla me la como yo en menos de una semana y ¿qué servicios...? ¿De qué te sirve tener un hospital si la mitad de los días no tiene ni corriente eléctrica, ni agua, ni medicamentos? ¿Y para qué quieres una carrera si después del esfuerzo no puedes alimentar a tus hijos?...

—¿Y aquí la gente entonces de qué vive?

—Bueno, no es fácil..., cada uno, de lo que puede. De cambiar o vender cosas, de lo que te dan los turistas... Aquí todo el mundo lo pasa mal.

—¿Y con respecto al... jineteo? –No sabía muy bien cómo abordar el tema–. La gente aquí no lo considera prostitución ¿no?

Ezequiel se encogió de hombros y miró al infinito.

—Cada uno intenta sobrevivir como puede. Yo respeto las decisiones de todo el mundo. Si no tienes con qué alimentar a tu familia haces lo que puedes para salir adelante.

—Yo no juzgo. Aquí la gente va inventando, y cuando lo necesitan salen a buscar un turista. Así es la vida acá.

No lo decía con amargura, ni con el tono despavorido con el que la gente habla sobre la crisis en Europa. Hablaba con la cadencia de quien vive eso como una circunstancia diaria, como cuando los abuelos de Sara hablaban sobre la miseria y el hambre, y las cosas horribles que vivieron durante la guerra civil española, y que a ella tanto le asombraba cuando era pequeña. De hecho, no sabía qué era lo que más le desazonaba de esas historias, hasta que un día se dio cuenta de que era esa forma de relatar el horror como algo cotidiano.

—¿Estás casado? –le preguntó.

Sara no quería tanto cambiar de conversación como simplemente curiosear. Se aprende mucho de las vidas de los otros.

—No, qué va.

—Ah, ¿y tienes novia? –Le empezaba a parecer que el muchacho, rodeado de turistas todo el día, era un partidazo para cualquier cubana.

—Sí, tengo tres.

Sara se hizo la mujer de mundo y sólo generó un ¡Ajá! a su comentario. Podía entender la situación. Al menos en su parte teórica. Sin conocer de nada a los cuatro personajes implicados en la trama, Sara tendía, aunque se avergonzaba de pensar así, a no considerar a priori como amor a ninguna de las tres historias que Ezequiel tuviera, sino más bien al hecho de que un tipo con posibilidades económicas mantuviera, suponía que en el sentido literal de la palabra, a tres mujeres sin recursos. Tampoco entendía que la palabra «novia» pudiese aplicarse nada menos que a tres personas a la vez. Amiga con derecho a roce, follamiga, amante... El amplio elenco de relaciones sociales o antisociales en las que la vida de Sara y sus amigas se movía, ofrecía calificativos para casi cualquier tipo de relación, y todos mucho menos formales que el noviazgo.

Ezequiel quiso enseñarle algo de la vida nocturna habanera, y le dijo que la Casa de la Música de La Habana Vieja podía ser un buen lugar para ello. Acudieron a la primera sesión. Sara ya había asumido que pagar las entradas también corría de su cuenta. El local era grande y oscuro como la boca de un lobo. Un grupo de salsa tocaba en directo, y la gente se agitaba frenética, cantando todas las canciones. Sara estaba impresionada por la sensualidad de todos los que bailaban. Las mujeres, vestidas todas con diminutos y ceñidísimos conjuntos movían los pechos y las caderas al compás de la música. Una de las parejas le impresionó especialmente. Muy oscuros de piel, altísimos y esbeltos, ambos de una belleza excepcional. Pero lo que hacía que Sara no pudiera dejar de mirarles era la forma en la que se comían con los ojos, mientras bailaban tan pegados como si estuvieran ya dentro el uno del otro. Le pareció la imagen del amor como ella lo concebía: apasionado y lujurioso. Pocas veces había visto un deseo así ardiendo en público. El local entero emanaba sexo.

Ezequiel seguía tan protector o incluso más aún.

—No hables con nadie, le dijo. Y mucho cuidado con el bolso.

Sara se había negado a separarse de él en la entrada. A ella el comentario no podía sino hacerle gracia.

Se sentaron en una de las mesas cerca del escenario. Sara compró una botella de ron y se entretuvieron bebiendo y riendo, mientras escuchaban al segundo grupo que había salido a actuar, una mezcla de salsa y *hip-hop* bastante interesante, liderados por una mujer a la que el público parecía adorar.

Ezequiel la dejó sola un momento, lo justo para acercarse al baño, instante que aprovechó un chico de los muchos que andaban por allí para sentarse a su lado.

—Hola. ¿Eres española? ¿Te importa que me siente?

Le dijo que se llamaba Yoel y la invitó a bailar con él.

En el escenario el grupo tocaba ahora salsa.

Yoel era un gran bailarín. Sara aprovechaba las vueltas que daba para fijarse en él. No era muy alto, pero tenía un buen cuerpo, delgado y musculoso. La piel muy morena, mulato oscuro, y el pelo con rastas. Vestía bien, demasiado ceñido, como todo el mundo por allí. Le pareció atractivo, aunque no guapo, pero tenía una bonita sonrisa. Era feliz bailando, eso saltaba a la vista. Ella se dejaba llevar y se movía siguiéndole.

La canción cambió a lenta, una bachata, y de repente, estaban bailando tan pegados que notaba cada músculo de él incrustado en su cuerpo. Con el brazo que rodeaba las caderas la apretaba aún más contra su entrepierna. Si el objetivo era que Sara notase lo grande que tenía el pene, lo consiguió enseguida. La situación le divertía. De repente la besó. Un beso suave y «de inspección» al principio, más decidido después, al verse correspondido. Sara nunca había besado a un hombre negro. Le gustó mucho. Sólo recordaba unos labios tan mullidos y tan llenos, como almohadas, si se remontaba a unos años atrás, a Stefan, en Holanda. Estaba disfrutando besándole y acariciando su estrecha cadera, mientras él le inspeccionaba el culo con la mano libre.

Se separó un momento para respirar. La música debía de haber cambiado otra vez hacía rato. El alcohol llevaba mucho rato surtiendo su efecto, y Sara se sentía embriagada, en muchos sentidos. Miró a su derecha, y se sorprendió al ver a su lado, como a un metro, a la muchacha negra espectacular que había llamado su atención al entrar al local, la que bailaba con su novio de aquella forma tan apasionada. Ahora, tenía literalmente contra una pared a un tipo blanco, a todas luces centroeuropeo, y borracho. Ella le mantenía contra la pared mientras movía su pelvis a un ritmo vertiginoso contra los pantalones de él, que la miraba alucinado. En sus ojos brillaba un punto estúpido de incredulidad, y otro que parecía algo como miedo. En los de ella no brillaba nada, le miraban fríamente y ni siquiera sonreía, mientras ejecutaba sus movimientos.

—¿Te gusta cómo bailan? —le preguntó Yoel.

—Eso no es bailar, eso es follar.

Yoel se partía de risa, pero a Sara se le comenzó a atascar el ron en la boca del estómago e intentó aclarar su mente. Comenzaba a entrarle al corazón un fino hilo de algo espeso y gelatinoso parecido a la tristeza.

Se le habían quitado las ganas de bailar. Volvieron a la mesa y allí estaba Ezequiel, del que Sara hasta se había olvidado. Muy serio, ni siquiera la miró cuando se sentó a su lado. Le respondía a los comentarios cortésmente pero enseguida volvía la cara y miraba al escenario, o a los bailarines. Esto contribuía al malestar de Sara. Yoel de cualquier forma no dejaba que la atención de ella se distrajese mucho. Le hablaba constantemente e incluso le movió la silla, de forma que quedaron frente a frente, con las rodillas juntas. Parecía un tipo agradable y dulce. La cantante del grupo y todo el público en ese momento tronaban a coro el estribillo de lo que parecía ser su último hit: «¡Se puso culo, se puso tetas, y ya no hay quien se la meta!».

La canción tenía su gracia y Sara se relajó un poco. Yoel comenzó a tocarle las piernas, se las acariciaba con las manos abiertas y ella le dejaba hacer, hasta que comenzaron a avanzar hacia dentro del vestido, en dirección a su pubis, directamente. Sara le frenó en seco. Un morreo en público podía ser aceptable, pero no iba a permitir que le metiera mano allí mismo, y mucho menos con el nudo del estómago creciendo de la forma en que lo hacía.

—Vale, vale, —exclamó él–. Es tu cuerpo, tú sabrás lo que quieres hacer con él.

De repente, ya no parecía tan dulce como antes. Debía de estar acostumbrado a sobar a cualquiera en cualquier parte.

Sara aprovechó que Yoel se había ido a comprarle un chicle para abordar a Ezequiel, que seguía sin mirarla ni dirigirle la palabra.

—¿Qué te pasa? ¿Te parece mal que esté hablando con este chico?

Le pareció que andarse con rodeos no venía a cuento a esas alturas.

—Mira…–Se notaba que le costaba decir finamente lo que de verdad pensaba. —Yo no me meto en la vida de nadie, ni en la forma en que nadie se la busca por aquí, pero de esto te tengo que avisar, Sara…, ese chico y sus amigos se pasan las noches en este local, buscando turistas a las que sacar el dinero.

—Ya, ya me lo imagino, yo ya sé…

—No, ya tú no sabes nada. –Estaba realmente serio, enfadado y preocupado–. Ustedes los extranjeros se creen que saben, pero no tienen ni idea de dónde se están metiendo. No te dejes enredar, porque vas a arrepentirte, por favor, créeme. Estos chicos roban a las mujeres con las que se van. No te he dicho nada cuando te he visto dar dinero por la calle, entiendo la necesidad de la gente, y cada uno busca su vida como puede, pero esto es diferente. ¡Esto no!

Yoel volvió con el chicle. Efectivamente, se vendían de uno en uno. A Sara todo le sorprendía cada vez más. Ya no tenía humor para seguir allí. La noche había dejado de ser divertida y de repente se encontraba rodeada de hombres que se miraban con odio. Cerca de la puerta de salida, el muchacho negro cuya novia calentaba al europeo borracho al otro lado del local, sacaba a bailar a una escandinava bajita y más fea que un dolor, mientras le acariciaba el escaso pelo rubio.

En la calle todo se complicó rápidamente. Aunque Yoel estaba claramente enfadado no se despegaba de ella.

—Vente conmigo, le decía. Si quieres vamos a tu hotel, o te vienes a mi casa, o seguimos por otro lado la fiesta.

Ezequiel no pudo más y estalló. Aunque había intentado mantenerse al margen en todo momento, se encaró directamente con el chico, al que empezaron a unírsele sus amigos, que se agrupaban a su espalda.

—¡Déjala en paz!, ¡Búscate otra Yuma y deja a esta!

—¿Ya qué tú estás buscando? –Se encaraba el otro– ¡Ella ya es mayorcita para saber lo que hace!

Se estaban midiendo. Como en la lucha senegalesa, mientras ambos contrincantes se calculan y se dan manotazos, pero sin entrar a pelear. En la calle se empezó a montar un remolino de gente, que acudía por los gritos que ambos se estaban dando.

Yoel se volvió hacia Sara.

—Dame tu número de teléfono –dijo de repente.

Sara estaba aturdida, empezó a dárselo.

Ezequiel calló. Tiró la toalla. Debió de pensar que era inútil buscarse un lío por alguien tan inconsciente y desapareció. Se perdió entre la gente que los había rodeado y Sara nunca volvió a verle.

—Te llamo esta noche. Te llamo mañana –le insistía Yoel mientras ella iba subiendo al taxi al que había parado.

Sara se alejó. Aún no sabía muy bien qué había pasado. Sólo se repetía a sí misma por enésima vez lo malo que era el alcohol y que no volvería a beber tanto.

El domingo siguiente amaneció resacosa, pero ligera y feliz. Sólo el recuerdo de Ezequiel le turbaba, le dolía que se hubiese disgustado con ella, después de intentar ayudarla.

Pasó el día en Trinidad, un pueblo intacto de la época colonial, colorido y soleado. La sensación de tiempo detenido era más fuerte que en la propia Habana. También allí todo el mundo la abordaba por la calle, y también todas las conversaciones terminaban con un «¿Me puede dar un bolígrafo?»

o un «Deme cualquier cosa de uso que tenga en el hotel». La necesidad de la población era tan palpable como si fuese un ente con vida propia. No vio desnutrición, casi todo el mundo parecía al menos alimentado, sobre todo los niños, guapos y felices. Sara suponía que su necesidad era de todo lo siguiente al alimento. Por la tarde había música en la plaza. Yoel le envió un sms, algo sobre lo mucho que quería besarla y estar con ella. Le respondió diciendo que estaba de viaje, que no volvería hasta el jueves. No era verdad, pero no tenía ganas de verle.

La semana transcurrió tranquila. La Habana la tenía enamorada. No había ni un rincón que le desagradase. Intentaba imaginársela cuando era una ciudad rica, muchísimo más que España, cuando aquellos Cadillacs y aquellos Buics acababan de llegar desde los Estados Unidos. No era difícil imaginar que la isla se hubiera convertido en el prostíbulo de los vecinos del norte, como había oído contar. Qué fácil debía de ser para aquellos mafiosos de los años veinte y treinta acudir allí a blanquear su dinero, a disfrutar del juego, del alcohol y del sexo sin límites. Qué pena que la Revolución se hubiera convertido en toda la miseria que estaba dejando hundir la isla entera. *Animal Farm*, conocida en español como *Rebelión en la granja*, de George Orwell, llevada a la triste realidad.

Llegó el jueves y recibió otro sms de Yoel, preguntándole cuándo llegaba. No se había olvidado de él, y el mal cuerpo que le dejó la noche en que se conocieron se había diluido en su mente. Además, de los cientos de hombres, la mayoría jovencísimos, que la abordaban en cada calle, en cada esquina, tampoco hubo ninguno que le gustase especialmente. No le contó nada a Yamileth. Había decidido quedar a cenar con él. Le llamó por teléfono y quedaron en la plaza de la Catedral.

Intentaron entrar en un restaurante. El camarero, sin dejar de mirar a Yoel, les impidió el paso firmemente. «Estamos cerrando», les dijo. Sara miraba a los grupos de extranjeros que ante sus narices se sentaban en las mesas dispuestas para la cena en aquel mismo momento.

Yoel no la dejó empezar a discutir con él. Dijo: «Vámonos».

—No nos han dejado entrar porque vas conmigo —dijo Yoel.

Sara no entendía nada.

»Hasta hace muy poco, ni siquiera podíamos acceder a los hoteles. Prohibido el paso si eres cubano. Tratado igual que un perro en tu propio país. Fueron a un paladar cubano que él conocía, uno de los mininegocios recién consentidos. Estaba en un primer piso, en lo que era en realidad el salón-comedor de una vivienda familiar. Las dueñas eran dos amigas suyas, ruidosas y chillonas. Yoel pidió langosta y Sara, pollo.

»Aquí lo peor es la falta de libertad –le decía Yoel con ojos tristes–. Lo ocurrido en el restaurante le había avergonzado. –Yo te cogería de la mano al andar por ahí, pero si me ve la policía me meten preso. Los cubanos no podemos hablar con los turistas, ni andar con ellos por la calle…, somos unos apestados para este gobierno. Aquí todo es para el Yuma.

»Esto es otro mundo –prosiguió–. Esto no es que sea el segundo mundo, o el tercer mundo. Esto es Cuba, un manicomio en el medio del mar del que todos queremos salir como sea, y ya.

Terminaron la cena, Sara pagó y salieron a la calle. Yoel se mostraba cariñoso y tierno y su expresión era a veces la de un niño. Caminaba sin dejar de mirar a los lados, a su espalda. Unas veces andaba a su lado, otras un par de metros por delante de ella.

—Es por si nos están siguiendo –le dijo– y por las cámaras.

Yamileth ya le había explicado que el objetivo de la fotografía que le habían hecho en el puesto policial de la entrada del aeropuerto era tenerla controlada en todo momento, y que la ciudad estaba llena de sofisticadas cámaras, que controlaban cada movimiento de la población y de los turistas. Una cárcel de enormes dimensiones.

—Esto es para volverse loco –dijo Sara.

—Así andamos todos por acá –suspiró él–. Vamos a mi casa.

A Sara la idea la sedujo absolutamente. Por un lado, se moría de curiosidad por conocer cómo podía ser el lugar en el que vivía. Por otro, llevaba semanas sin echar un polvo, y Yoel le gustaba.

El edificio era como todos los de alrededor en La Habana Vieja. La fachada imponente y desconchada. La escalera no tenía un solo escalón entero. La barandilla desaparecía a tramos, y cables de la luz pendían por todas partes. Era un tipo de corrala, en la que se habían construido decenas de mini-apartamentos interiores, sin ventanas a la calle. Lo que debió ser un señorial piso de techos altos se había dividido ahora en cien partes, y aprovechado para construir dos alturas. Abajo la entrada, cocina, baño…, todo. Por unas estrechísimas escaleras casi de mano, se subía al dormitorio. Habría unos diez metros para habitar. La parte de arriba la ocupaban casi en su totalidad la cama y un armario.

Yoel tomó la iniciativa y comenzó a besarla. Ella se soltó el vestido, que él recogió antes de que cayera al suelo, y lo dejó en una silla. Ya estaba completamente desnuda y, mientras él le recorría el cuerpo con las manos, ella le desabotonaba la ceñida camisa. No tenía pelo en el pecho, y su piel era lisa y firme, sin un miligramo de grasa. Se entretuvo en acariciarle el pene por encima de los pantalones, y luego dentro de ellos, hasta que se lo sacó y lo sostuvo entre las manos. Era enorme, largo y ancho, duro como una piedra. En unos segundos había sacado un preservativo de un cajón y se lo había colocado. Visto y no visto. La empujó sobre la cama y le abrió las piernas, para lamer entre ellas, justo en la entrada de la vagina, que estaba húmeda y latiendo enloquecida.

Lamió unos minutos, la punta de la lengua entrando y saliendo de su abertura sin cesar. Sara gemía mientras enredaba el pelo trenzado en pequeñas rastas entre sus dedos.

La tomó de las caderas y la giró, de forma que quedó apoyada en sus manos y sus rodillas, abierta del todo. La sujetó por las caderas y la penetró sin contemplaciones, haciéndola gritar. El pene de él era tan grande que la llenaba por completo. Golpeaba en el fondo de ella en cada empujón. Se movió hacia delante y hacia atrás, y con la mano derecha le soltó un manotazo en la nalga que le cortó la respiración, por lo inesperado. «Ha debido de oírse por toda La Habana», pensó Sara mientras gozaba.

Yoel salió de ella, igual de bruscamente, y la giró de nuevo, colocándola con la espalda en el catre. Agarró su enorme miembro y con la cabeza le dio varios golpes en el clítoris. Sara se estaba volviendo loca, y no quería más que ser penetrada otra vez. Volvió a entrar en ella, chocando constantemente contra todas sus paredes. Se sorprendió cuando ella no le dejó que le doblara las piernas. Le hubiera dicho: «Si me doblas las piernas vas a conseguir que se me salga por la boca», pero no estaba para bromas, no podía parar de gritar, todos los nervios de su vagina estaban siendo frotados, amasados a la vez.

—¡Los vecinos! —susurró él.

Y le tapó la boca con la mano, mientras seguía empujando sin piedad. Este gesto aún la excitó más.

No llegó a tener un orgasmo, pero cuando él se corrió dentro de ella Sara estaba suficientemente cansada como para esperar a que se recuperara, y seguir.

Se separó bruscamente, igual que lo había hecho todo hasta entonces, y se tumbó a su lado, sin tocarla, manteniendo las distancias.

—Perdona que no te pueda ofrecer algo mejor que esta casa —dijo de repente, muy serio— pero alguien como yo, que no tiene dinero, no tiene otra cosa que dar.

El comentario no venía a cuento en ese instante, y Sara estaba más que asombrada, mientras intentaba regular su respiración.

»La gente como yo tiene que hacer lo que sea para sobrevivir.

A Sara le invadió el frío por dentro.

—Me haces sentir como si me estuviese aprovechando de ti —acertó a decir.

—Ah, pues yo no he dicho nada para que tú pienses eso...

Y cerró los ojos, apoyando la cabeza en los brazos, cruzados por debajo.

Era lo más surrealista que le había pasado en la vida. No podía moverse. No sabía qué hacer. Él o se durmió o lo fingió, pero cuando habían pasado unos treinta minutos que a Sara le parecieron treinta horas le tocó el brazo y le dijo:

—Oye, me tengo que ir, que mañana trabajo.

Y comenzó a buscar a tientas su ropa. Fue más consciente que antes de la pobreza que le rodeaba, hasta que reparó en que en el suelo, estaban perfectamente colocados al menos una decena de zapatillas de deporte y zapatos de marca, todos carísimos.

—Me gustan mucho los zapatos, —dijo Yoel—. También me gustan los perfumes. Son las dos cosas que más me gusta que me regalen.

Sara necesitaba salir de allí. Con urgencia.

En la calle volvió a ser el chico dulce que había sido durante la cena. La cogió de la mano.

—Se supone que no nos pueden ver de la mano. —El tono de Sara sonó irritado—. Tú puedes acabar en la cárcel, ¿o no?

Él se encogió de hombros.

—Ya me da igual. He estado tantas veces…, a la próxima me meterán allá y tirarán la llave.

Caminaban por las calles oscuras, casi sin iluminar.

—¿Qué puedo darte que te ayude? —le preguntó Sara.

—¿A mí? Cualquier cosa, lo que sea que me dieras me ayudará seguro.

—Pues quedamos mañana, si quieres. Tengo medicinas en el hotel, y también jabones, cosas así.

—¿Y yo? —Él se giró a mirarla ¿Qué te puedo dar yo a cambio? Yo no tengo nada que ofrecerte.

—No sé, tu compañía, supongo. —Sara respondió sin pensar y se arrepintió al instante, por si se había ofendido y por lo que había ocurrido un rato antes en la habitación.

Yoel sonrió con tristeza.

—Además, continuó ella, la vida cambia. Nunca se sabe lo que puede pasar. Es hoy por ti, y mañana por mí. Algún día tú podrás devolverme el favor.

—Ojalá —suspiró él—. Si consiguiera salir de aquí, te juro que lo haría.

Y siguieron caminando en silencio.

—¿No te ha gustado, verdad? —dijo Yoel al llegar a la puerta del hotel. ¿Es eso, no? No te ha gustado…

A Sara le volvió a la cabeza el sentimiento de que era el profesional el que le hablaba. Le prometió que quedarían al día siguiente. Quería darle las cosas que tenía en la habitación. Se sentía en deuda.

El lunes por la tarde quedaron y al paquete que había preparado le añadió 50 CUC, cuarenta euros, el alquiler mensual de su habitación, casi el sueldo de un médico de un par de meses.

Tomaron algo en la terraza de la plaza de la Catedral porque él dijo que no había comido nada. Yoel se mostraba dulce y cariñoso. Le había dado las gracias al recibir el paquete y lo había hecho desaparecer en el bolso que llevaba consigo, sin abrirlo, y mirando por encima de su hombro. Parecía que se estaban pasando cocaína, en lugar de paracetamol.

—Se lo enviaré todo a mi mamá, en Guantánamo –le había dicho– todo el dinero y todas las medicinas.

Yoel le habló de su familia, de su pobreza extrema. De su madre y sus hermanas, en la provincia más oriental de Cuba, y en la que no había nada.

—Aquello es como Haití, –le dijo.

Le enseñó fotos, parecía zona de guerra. A Sara se le encogía el corazón.

Luego pasearon por la ciudad, fueron al Malecón, a ver la puesta de sol, que hasta ahora no había visto. Le pareció un espectáculo increíble, el sol se enterraba en el horizonte, enorme y ardiente, y todos los ojos le seguían, ojos cubanos y extranjeros, en respetuoso silencio. En el mismo punto al que se dirigían las balsas, o lo que echaran a flotar rumbo a los Estados Unidos.

Fueron a cenar de nuevo a un paladar. Sara le hubiera dejado con cualquier excusa, pero no se sentía bien ni para eso. Llevaba todo el día indispuesta y con el estómago revuelto. Aunque había intentado no beber agua que no fuera embotellada, se empezaba a temer que algún microbio traidor hubiera conseguido colarse en su organismo.

—Esta noche no podemos ir a mi casa –dijo Yoel de repente–. Le he dicho a una amiga que le alquilamos una habitación en su casa.

Aunque se había jurado a sí misma no volver a caer, no pudo evitar que el deseo le pudiera. Además, Yoel se había comportado durante toda la tarde como el muchacho encantador y a veces melancólico que casi siempre era y sus palabras de la noche anterior le empezaban a parecer a Sara sólo un mal sueño. Quizás le había malinterpretado.

Subieron a la casa, que en contra de lo que Sara esperaba, no estaba vacía. La amiga de Yoel y su marido estaban en la sala, viendo un programa en la televisión, a todo volumen. Ambos eran mulatos y muy entrados en carnes, y estaban mínima-mente vestidos, tirados cada uno en un sofá. Ella se levantó pesadamente y les acompañó a la habitación, que estaba recién pintada, cada pared de un color, y no tenía más mobiliario que la cama. Les cobraría 10 CUC por toda la noche, dijo. Por supuesto, sin registro de ninguna clase. Yoel se rozaba contra los muslos de Sara mientras la mujer hablaba y les contaba lo estupenda que era la habitación por tener el baño al lado. Sara notaba su erección que se clavaba en la piel y con la mano le tocaba por encima del pantalón, apretando su pene con fuerza.

El ventilador del techo funcionaba y hacía un ruido cons-tante. Sara llevaba un vestido largo hasta los pies, con los hom-bros al aire porque el escote era palabra de honor, por lo que Yoel no tuvo más que deslizar el vestido hasta el suelo y meter la mano dentro de sus bragas para comprobar que estaba hú-meda y destilando almíbar desde hacía un rato.

La mantenía abrazada de pie y mientras la besaba le intro-ducía los dedos por la vagina, suavemente. Esta vez la besaba con calor, succionando sus labios y lamiéndolos con su lengua, mientras los dedos seguían su trabajo, hasta que comenzaron a bajarle la ropa interior.

Sara temblaba entera, de deseo y de lo que empezaba a te-mer que fuese fiebre. Yoel le había quitado el sujetador y le mordía los pezones, mientras sujetaba las nalgas de ella con ambas manos y le dejaba desabrochar sus vaqueros. Sara era lenta, porque mientras desabrochaba botones de la bragueta, hacía a sus dedos jugar con el trozo de pene que quedaba ex-puesto. Era tan grande que no estaba del todo cubierto por el calzoncillo, y toda la cabeza y un buen trozo de él quedaba fuera, como asomándose a un balcón, y Sara se agachó para besarlo y lamerlo. Le hubiera gustado continuar, pero empezó a ser consciente de que probablemente estaba algo enferma de verdad, y de que su estómago no admitiría tamaña cena.

Yoel la tumbó en la cama, sin dejar de besarla y de acariciar sus pechos con las manos. Ella jugaba con su pene, lo apretaba con violencia en toda su largura, con las dos manos, y frotaba su glande en círculos con las puntas de los dedos pulgares, para sentir cómo salían gotas de humedad y lo dejaban brillante, como de mármol.

La giró, igual que la vez anterior, y con las rodillas la obligó a abrir las piernas. Bien abiertas. Empezó a penetrarla despacio, con su pene enorme, y a Sara le arrancaba gritos de placer. Embestía despacio pero sin dar tregua, una y otra vez, cada vez más profundo, más adentro, hasta que otra vez chocaba con el fondo como un ariete intentando derribar las puertas de la fortaleza. Empujaba con fuerza y en ese momento los espasmos provocaron en Sara un grito profundo que no pudo contener. Cuando se movía hacia atrás, deslizando su pene hacia fuera de su vagina pero sin llegar a salir le hacía gemir sin poder evitarlo.

—Dios mío… —murmuró Sara.

—¿Te gusta? ¿Sí te gusta, verdad?... pues es para ti si tú la quieres, toda para ti…

Y embestía con más fuerza entonces, Sara pensaba que se iba a desmayar.

—¿Qué me falta para ser tu esposo? —dijo él de repente, susurrándole al oído.

—¿Cómo?... —Sara no podía creerse el comentario. Decidió tomarlo a broma—. Pues, para empezar, envejecer diez años de golpe.

Pensó que contestando lo obvio lo demás sería evidente. Él seguía dentro de ella, moviéndose ahora despacio.

—¿Entonces no vas a casarte conmigo? ¿No te gusto? La besó en la sofocada mejilla y salió, con cuidado.

—Pues claro que me gustas —Parecía que tendría que acostumbrarse a este tipo de abruptos cambios de guion—. Pero no nos conocemos de nada, y…, te aseguro que una boda no está en mis planes en absoluto.

En ese momento sonó el teléfono. Yoel contestó y mientras hablaba comenzó a vestirse. Le dijo que tenía que irse, así sin más, que ahora volvía. Le dio un beso en los labios y se fue.

Sara se quedó sola en la habitación, siendo ahora consciente de los sonidos de la casa, del ruido de la televisión en el salón, y de la estridencia del ventilador. Cada vez sentía más frío. Sólo había una sábana, blanca y delgadísima de tanto uso y se enrolló en ella para protegerse del implacable artefacto del techo. Empezó a temblar y a sudar. Se enrolló hasta la cabeza, como un gusanito a la espera de convertirse en mariposa. Un gusanito europeo y confuso, abandonado en una cama cubana. Yoel volvió pasado un rato. Ella sólo se descubrió los ojos para mirarle cómo llegaba, jovial, y comenzaba a desnudarse deprisa, diciendo: «Hola, amor, ya volví», y nada más. Sara estaba muy cansada como para pedir explicaciones.

La desenvolvió del todo, como el que abre un regalo, y su pene se levantó de inmediato, parecía que acompañaba a su amo en demostrar su contento. Yoel sonrió alegremente y se lanzó sobre ella a penetrarla. En cuanto tocó su piel soltó un respingo.

—Pero mi amor, ¡tú estás enferma! ¡Tú tienes fiebre!

Sara temblaba de la cabeza a los pies y su deseo se había esfumado. Yoel seguía encima y seguía excitado, por lo que ella le abrió del todo las piernas y él entró en ella. Con dificultad porque ya no estaba húmeda. Había dejado de sudar al quitarse la sábana, pero su malestar crecía sin cesar.

Sara fue consciente de lo cierto que era que el sexo está situado en el cerebro. Como su pasión se había esfumado y su vagina no respondía lubricándose, lo que un rato antes era una tortura de placer, se convirtió en una tortura real. Mientras sentía ese pene tan enorme y durísimo taladrando sus entrañas sintió mucha lástima por las prostitutas, por quienes tuvieran que hacer aquello sin deseo alguno ni reacción positiva de su cuerpo. No podía dejarle continuar, estaba apunto de llorar de dolor.

Le apartó suavemente y le pidió que lo dejara. Conversaron un rato, él la trataba con mimo, la acariciaba con los dedos suavemente, su excitación no bajaba. Hablaron sobre sus vidas, Yoel le contó sobre amigos suyos, que habían conseguido salir de la isla casándose con una extranjera. Unos andaban por Estados Unidos, otros por Italia, o por Noruega. De amor no hablaba, aquellas mujeres no eran más que pasaportes.

Yoel le decía que ya la quería, que se estaba enamorando de ella. Sara no le creía y le sonreía mientras notaba cómo su fiebre volvía de nuevo. También comenzó a notar cómo su estómago y sus vísceras se revolucionaban, y ya no podía pensar más que estar en su habitación, en su baño, con sus toallitas refrescantes y sus tisúes. Le dijo que se quería marchar y volver a su habitación. Él parecía dolido porque le dejaba otra vez al principio de la noche, pero la acompañó hasta el hotel y se perdió en la oscuridad, literalmente, tras darle un beso.

Ese fin de semana comenzaban sus vacaciones y a Sara le horrorizaba la idea de que se le pudieran estropear por una enfermedad gástrica. No se encontraba perfectamente, pero aun así decidió seguir adelante con sus planes. Y en ellos estaba Yoel, parecía que tanto si quería como si no, y Sara se dejaba llevar. Caminar con él por las calles de La Habana Vieja era no poder dar ni un paso sin parar a hablar con alguien. Parecía conocerle todo perro o gato que se moviera por allí.

Su personalidad la tenía fascinada. Pasaba en cuestión de segundos del trato dulce y amoroso a la ira más explosiva. Sus celos alcanzaban el grado de la patología. Se permitía el lujo de volverse a mirar a todas las mujeres guapas con las que se cruzaban, sobre todo a las cubanas cuando llevaban shorts tan ceñidos que les marcaban hasta el último centímetro de piel de sus altivos traseros, pero si Sara miraba a algún hombre disimuladamente, él estallaba en un acceso de rabia y orgullo herido incontrolado. También cuando alguno se insinuaba a ella y no se había dado cuenta de que él andaba por allí. Podría llegar a la agresión física hacia cualquier tipo que se le aproximase a Sara a menos de tres metros, estaba segura de eso, y no le hacía ninguna gracia.

Ella disfrutaba del sexo con él, aunque menos de lo que había disfrutado con otros hombres. En realidad, en muchas ocasiones, mientras lo hacían, pensaba en David.

Le preguntó varias veces si tenía novia. Siempre lo negó, rotundamente.

—A las cubanas te las templas en una escalera y ya está. Yo con una cubana, ni muerto. Tú eres mi novia, yo no quiero a nadie más que a ti.

Le recordaba al comentario de Yamileth. Sara intentaba explicarle que eso no era cierto, que ellos no eran novios, ni nada parecido. Que no iba a casarse con él, que no estaba enamorada, y que sólo quería ser su amiga, que si no estaba de acuerdo que se podían despedir ya, que no había problema, que mantendrían el contacto de amistad igual. Él se enfadaba, se iba, volvía. La semana trascurría tormentosa.

A ella le gustaba especialmente verle dormir. Durante la siesta, admiraba su cuerpo, de piel suave y brillante, y le daban ganas de lamerlo de arriba abajo. Lo hacía en cuanto se despertaba. Era un hombre activo, pero también le gustaba que fuese ella quien subiese sobre él. Ella se clavaba su pene dentro, con ansia, y se movía en círculos, cada vez más rápido, más rápido, sintiendo su erección permanente dentro, notando cómo las descargas eléctricas de su vagina se transmitían por todo su cuerpo y él murmuraba: «Sigue así, mami, sigue así, dame tu lechita, mami».

Sólo una vez la penetró por detrás. Pero fue en un momento en que todo su cuerpo estaba ya esponjoso y húmedo, todos los poros abiertos y manando deseo. Entró muy despacio, para no dañarla, ella temiendo que la delicada piel se resintiera por el tamaño de su miembro. Pero no fue así, sino placentero, suave, con la misma sensación de ocupación total que sentía cuando la penetraba por la vagina. Era maravilloso que te introdujeran un pene tan grande, no se cansaba nunca de tenerle dentro.

Sara le tenía mucho cariño, y también lástima. Era consciente de que el engaño y la mentira eran parte de la vida del muchacho, que fingía constantemente y que inventaba historias, que actuaba ante ella, ante la gente de la calle y ante sí mismo.

Una mañana estaban en la cama, habían estado acariciándose, preparándose para comenzar de nuevo, cuando sonó el teléfono. Al ver quién era pegó un salto y contestó de inmediato. Mientras salía de la habitación, para hablar en la sala, Sara le oyó decir: «¡Pues claro que tengo muchas ganas de verte! Pero ya sabes que no puedo». No quiso oír el resto de la conversación aunque hubiera podido. Permaneció echada en la cama, mirando al techo. Sí oyó el final, cuando él se despidió con un «...sí, y yo también. Un beso mi amor». Aún tardó un par de minutos en entrar en la habitación. Sara seguía mirando al techo.

Se tumbó en silencio.

—¿Por qué no me dijiste que tenías novia? Te lo pregunté mil veces –le dijo ella al fin.

Su tono no era enfadado. Se sentía más bien cansada, y toda aquella situación le resultaba absurda.

—¡No es mi novia! ¡Aquí llamamos «mi amor» a todo el mundo! Es sólo una amiga... el esposo le botó de la casa, y ahora tiene problemas...

«La pilló contigo en la cama», le hubiera gustado decirle, pero se cayó.

Se había estropeado el momento de pasión. Sara le estudiaba, no podía realmente comprender cómo alguien era capaz de mantener una mentira tan estoicamente. Seguía insistiendo en su amor por ella, pese a todo.

Le enseñaba la isla, y todos los rincones a los que los turistas no pueden acceder. Sólo por eso Sara ya sentía que merecía la pena continuar con él.

Yoel le presentó a una mujer fascinante. Su madrina Ofelia. Era santera, y Sara enseguida empatizó con ella, y con el resto de la familia. Estaba casada con un hombre treinta años más joven, alegre y bebedor. Un artista del óleo y la madera. Ella era bella y delicada y tenía un porte noble y orgulloso. Leyó el futuro de Sara. Le dijo que un espíritu de su familia la acompañaba constantemente, que por eso no podía encontrar un hombre para ella como se merecía. Sara no podía más que estar de acuerdo.

También, una de aquellas tardes, asistió como testigo privilegiado a un ritual sagrado para la santería. Ofelia y su hijo, el *babalá*, iniciaron a Yoel en la santería, tomando la mano de Orula. No era un ritual para turistas, era auténtico, y Sara estaba loca de emoción.

El día anterior no debían tener sexo y a Sara no le importó. La suma de mentiras, de pretendidos engaños y triple vida de Yoel la tenía ya harta, cada vez le apetecía menos estar con él. La ceremonia tenía lugar en dos días diferentes. Se consideraba muy afortunada por estar asistiendo a ella, y escuchaba atenta sin entender ni una palabra de la retahíla de bendiciones en *yoruba* que murmuraba el *babalá*, a veces Sara de espaldas por ser mujer.

El segundo día del ritual era ya el penúltimo de Sara en La Habana. A las ocho de la mañana Yoel, le anunció que se iba. Tenía que pasar por la oficina de correo electrónico, y tenía que ser en ese momento. A Sara no se le escapó que lo que tenía que hacer era escribir a una extranjera como ella, a la que llevaba desatendiendo demasiado tiempo. Intentó hablar con él, pero se negó en redondo.

—Mi vida no se para por una semana que tú estés aquí. Quédate en casa mirando la tele, no salgas a la calle. A las doce nos vemos en la casa de Ofelia.

Sara le miró de arriba abajo y ni le respondió.

A las ocho y media Sara estaba ya en la calle, libre y feliz. «Mi vida no se para por una semana que esté aquí», le hubiera gritado a la cara en ese momento.

Caminó sin rumbo, disfrutando de todos los olores y de los sonidos de las calles. Respondía con sonrisas y poco más a los chicos y no tan chicos que la abordaban constantemente. Se había puesto un vestido blanco semitransparente que se había comprado en Ibiza, que se levantaba constantemente porque no paraba de soplar el viento.

Entró en una librería. Quería comprar un libro de cuentos eróticos que había visto hacía unos días y que ahora no encontraba. Al entrar, observó que había un hombre de espaldas frente a una estantería de libros de Derecho. El hombre consultó algo a la dependienta, y ambos le dieron la espalda. Sara no pudo evitar darse cuenta de que al fondo estaba abierta una puerta que daba a un almacén. Se adentró fascinada, había montañas de libros antiguos apilados por los suelos y de repente a su espalda sonaron claramente las voces de ambos gritando: «¡No!».

—Disculpe, por favor –le dijo la chica con simpatía–. Ahí no puede entrar.

El hombre seguía ahí también, mirándola con una sonrisa. Debía de tener su edad más o menos, y le gustó la forma en la que vestía, tan normal, tan diferente a Yoel. También le gustó su cara, parecía una persona franca, y le encontró muy atractivo. Entre ambos le aconsejaron a una poetisa cubana, pero no se decidió por ningún libro en concreto, por lo que se despidió y abandonó la tienda.

No había andado ni diez metros en la calle cuando sintió un golpecito en el hombro. Era él, que había salido tras sus pasos.

—Sólo quería decirte que esa es la librería más cara de toda la ciudad. Si tú quieres te puedo recomendar alguna otra donde puedes encontrar algo mejor.

Sara le sonrió. Le gustaba. Comenzaron a hablar. Parecía increíble que tuvieran tantas cosas en común. Hablaron y hablaron sin cesar. Se llamaba Guillermo y era arquitecto. Trabajaba para un ministerio, para el Gobierno, pero era un apasionado del Derecho, por eso estaba hojeando aquellos libros. Hablaba cinco idiomas y sabía mucho sobre historia, sobre arte, sobre un montón de cosas. Guillermo la invitó a tomar un café. Siguieron hablando y hablando sin cesar, le parecía casi increíble haber encontrado a alguien tan afín en aquel lugar y de aquella forma. Sara se dio cuenta de la hora que era. Las once y cuarto, y había quedado a las doce.

—No puedes irte sin ver algo que te va a encantar. Desde la azotea de mi oficina se puede admirar la vista más increíble de toda La Habana.

Sara le siguió, iban rápido porque el tiempo pasaba veloz. Guillermo tenía razón, debía de ser uno de los edificios más altos del centro de la ciudad, y la vista era demoledora. Se extendía ante sus ojos la sábana inmensa de tejados habaneros, sus terrazas corroídas, sus ropas al sol. Ella hacía fotografías con su cámara mientras él le señalaba los puntos más interesantes que admirar.

En uno de los momentos él se acercó a Sara, hasta rozar con el lado derecho de su cuerpo el izquierdo de ella, y le rodeó la cintura con la mano, dejándola ahí reposar unos segundos. El vestido era de tela tan fina, que sintió el calor de su mano bajando por su cadera, enroscándose por su cuerpo como una serpiente voluptuosa y lenta. No se movió. No quería darle la sensación de que rechazaba su contacto. Nada más lejos de la realidad. Le había estado observando todo el tiempo y su deseo por él había ido creciendo sin cesar.

Guillermo retiró la mano, había llegado la hora de irse, no podía demorarlo más. La escalera de subida a la azotea del edificio era muy estrecha, de caracol. Él bajo los primeros escalones sujetándole la mano, para que no se cayera porque estaba un poco oscuro. En la mitad del recorrido, en el diminuto descansillo se volvió hacia ella, subió el peldaño que los separaba y la besó. Se pegó contra su cuerpo mientras le devoraba la boca. Sara se aferraba a sus brazos, que eran musculosos y fuertes, le arañaba la espalda por encima de la camisa con gestos desesperados, sintiendo cómo él pegaba el pene a sus muslos. Le deseaba con locura. Notaba cómo se humedecía, cómo su vulva ardía en llamas. Guillermo tenía las manos en sus nalgas, por debajo de la falda. Se las apretaba con fuerza, se las separaba, de forma que la humedad recorría ya toda su abertura.

Le levantó el vestido del todo, casi hasta el cuello, de forma que la totalidad de su cuerpo quedaba expuesto. Le amasó los pechos, apartando el sujetador hacia los lados, de forma que sus senos quedaban muy juntos, y él podía morder un pezón y luego el otro, casi sin mover la cabeza. Sara intentaba no hacer ruido, sólo un piso más abajo comenzaban las oficinas, y se tragaba sus gemidos, exhalando aire, con la nuca clavada en la rugosa pared. Quería colaborar, corresponder con caricias, pero él era un atacante, decidía qué amasaba, qué mordía, qué penetraba con los dedos.

Con una mano se desabrochó los pantalones, hábil y rápido, y buscó de nuevo el clítoris, tras bajarle las bragas, que se deslizaron al suelo. Ella quería agarrarle el pene, sentir de qué estaba hecho y cómo era, pero la inmovilizó los brazos, separándoselos y sujetándolos por las muñecas con sus manos. Sara abrió las piernas. Levantó una de ellas para dejarle sitio, para que no encontrase ningún impedimento. Notaba su pene contra sus muslos, luego contra su abertura, como un animal ciego, como un lobo furioso en persecución de una presa, rebuscando con el morro húmedo, descubriendo una madriguera por la que fluía un agua dulce, que impregnaba el espacio del olor del deseo del conejito de ser encontrado y devorado. Sara sentía que el pene tenía vida propia, por eso él, que lo conocía, le dejaba ir, como si hubiera soltado al perro, y mientras él sólo sujetaba al enemigo, le mordía los labios, le chupaba la lengua. Y así entró en ella, la cabeza despacio, enorme y suave, localizando el objetivo. Luego todo el pene de golpe, en un ataque despiadado. Sara se volvía loca de placer. Necesitaba gritar y no podía, se oían a lo lejos las conversaciones de los compañeros de Guillermo. Enterraba su boca en el hombro de él, que había vuelto a subir el pequeño escalón que los separaba. Le soltó las manos, y volvió a sujetarle las nalgas, abriéndolas, empujándola contra la pared una y otra vez, clavándola en ella. Sara tuvo un orgasmo tan fuerte que temió que fuera a caerse, no poder sostenerse más tiempo en pie. Él quiso levantarle la otra pierna para que le abrazara con ambas las caderas pero ella no le dejó. Salió de ella un momento y de su vulva manó un agua cálida que aún les enardeció más y que empapó el glande y el pene, aún hambriento.

Volvió a penetrarla, con urgencia, mientras murmuraba en su oído: «Dios mío, me has vuelto loco, me has vuelto loco» sin dejar de golpear en su interior. Sara sintió cómo se estremecía, cómo la apretaba contra la pared en un último empuje, mientras la abrazaba tan fuerte como si la fuera a partir. Gimió dentro de su oído y para Sara fue como sentir otro orgasmo con su aliento, en la raíz del pelo, en el cuello, bajando por sus pechos hasta tocarle a él.

Siguieron así, abrazados y unidos unos minutos más, recuperando el ritmo de la respiración. Guillermo se separó unos centímetros para besarle los ojos, las mejillas, para aspirar su cabello. Salió de ella muy lentamente. Mientras recomponían su ropa, se besaron suavemente. Sara le ayudó a limpiarse con las toallitas húmedas que ahora llevaba siempre en el bolso. Le limpió el pene con cariño, despidiéndose de él, los muslos que tenía empapados, y él la limpió a ella. Pasó la toallita perfumada con dulzura por todo su sexo, limpiando los labios, la yema de algún dedo comprobando que el resultado era el deseado.

Sara se obligó a mirar el reloj. La una. Y ni siquiera sabía dónde estaba, o cómo llegar a su cita. Sin decirse una palabra comprobaron que la ropa estaba en su sitio, el pelo colocado, y terminaron de bajar las escaleras. Atravesaron los pasillos, los despachos, en silencio, Sara con los ojos bajos porque temía que todo el mundo se lo notase en la cara. Ya en la calle se sonrieron.

—Esta noche actúa el Ballet Nacional de Cuba. Vente conmigo, yo te invito. Sé que te va a encantar.

—No puedo, Guillermo. Ya te he contado que estoy medio viviendo estos días con este chico, ¿cómo le voy a decir de repente que no paso con él la última noche? Yo no tengo valor para eso. Además, es muy celoso, no quiero que me monte un espectáculo el último día —Sara parecía entristecida y lo estaba. Mucho.

Guillermo la acercó a la calle donde vivía Ofelia. Se cambiaron los teléfonos, las direcciones de e-mail y se despidieron con un beso en la comisura de los labios.

En la puerta de la casa encontró a Yoel, que estaba preocupado.

—Pero ¿dónde has estado? Te dije a las doce, ¡es más de la una!

—Lo siento, me perdí. Cuando me quise dar cuenta estaba muy lejos y no había forma de encontrar la casa. Todas me parecían iguales.

—Ah... —Yoel dudó un instante—. Se perdió —le dijo con alivio al resto de la familia, que andaba por la sala, y por el patio.

El primer día la había presentado como su novia, para la sorpresa de Sara, que no quiso dejarle en mal lugar en ese momento. Todos parecían realmente aliviados, especialmente él. Le cogió una mano y se la besó.

—Empezaba a imaginarme cualquier cosa —dijo.

En otra situación, Sara se hubiese sentido fatal, pero entonces no. Ella también tenía secretos. También podía mentir y fingir, con una sonrisa, descaradamente. Se sentía fenomenal.

Por la tarde Guillermo la llamó pero Sara no pudo coger la llamada. Le envió un sms de despedida precipitado. Probablemente quería insistir en su plan de llevarla al *ballet*, o quizás a su casa… Sara sonreía para sí misma sin poder evitarlo, recordando lo ocurrido. Sí era cierto que las escaleras en Cuba daban mucho juego, pensó. Era el último día, no quería dramas. Al día siguiente volvería a Europa. Aún no entendía muy bien cómo había llegado a meterse en aquella historia, cómo había ido dejándose arrastrar por aquel muchacho tan peculiar, y concluyó que el destino tiene intereses ocultos que quizás esta vez sólo se revelasen con el paso de los meses.

Esa noche Yoel le hizo el amor con cariño, con la ternura que no había tenido otros días. Sólo le dolía que no hubiera sido totalmente honesto con ella. Quizás el muchacho, dadas sus circunstancias, ni siquiera podía. Podrían haber sido amigos sin más, pero no había conseguido hacérselo entender. Él seguía insistiendo en que la amaba, en que se había enamorado, en un «yo te quiero, créeme, por favor». Ella era experta en el amor romántico y esto, definitivamente, no lo era.

Dejaba el país con una extraña sensación de amor y odio que no conseguía calificar. Desde luego, Pedro Juan Gutiérrez no mentía, en ninguno de sus libros.

La vuelta fue extremadamente confortable, ya que esta vez viajó en clase *business*. Se tumbó a dormir, el asiento se abatía totalmente, convertido en una envolvente cama. Se tapó con la manta y se quedó dormida inmediatamente, soñando con manos morenas que subían por sus piernas.

6
Eva, y el amor por el... arte
ოჲ

Caminaba por la Puerta del Sol. Madrid aún se desperezaba de la noche del sábado, muy lentamente. La ciudad ya estaba limpia y olía a recién lavada; a niña levantada, duchada y con las trenzas brillantes a los lados de la cabeza, sentada ante su desayuno de leche humeante con galletas. Las calles esperaban a los transeúntes, a los visitantes anónimos y a los de todos los días, a los que las trataban bien y cuidaban de sus líneas y de sus colores pálidos, y a los que no. El servicio de limpieza se había esmerado en borrar el recuerdo de esos últimos y su paso la noche anterior. Aún había charquitos del agua a presión sobre las aceras grises.

Eva acababa de volver de un largo y agotador viaje de trabajo por Italia con los compañeros de la agencia de publicidad y había caído rendida en su cama. Durmió durante casi diez horas, plácida y felizmente. Tenía la sensación de que podría volver a acurrucarse entre sus sábanas y de que sin más caería nuevamente entre los brazos algodonosos de Morfeo pero no quería hacerlo.

Se había vestido cómodamente, con unas zapatillas deportivas, un conjunto de leggins hasta la mitad de la pantorrilla y una camiseta de tirantes. Agradeció haber tenido la precaución de anudarse una sudadera ligera a la cintura, porque en cuanto abrió la puerta de su portal, el frescor de la mañana le erizó el suave vello rubio de los brazos.

Iba a ser un día precioso. En el cielo no había ni un nube, y a las tiendas aún les quedaban dos horas para abrir. El bullicio de los turistas no había comenzado. Aún descansaban de las cenas, las copas y los bailes.

Se había propuesto caminar. Era un placer al que ella, ave nocturna en cuanto llegaba el fin de semana, tenía poco acceso. Sólo había avanzado un par de manzanas cuando se dio cuenta de que se había olvidado en casa las gafas de sol. Pretendía incluso tumbarse en la hierba de algún parque si le apetecía, a broncearse un poco la cara y los brazos, y no resistiría mucho tiempo sin sus gafas.

Había tenido suerte al acordarse tan pronto de ellas y se giró bruscamente para volver sobre sus pasos. Al hacerlo se dio de bruces contra un chico. Era altísimo, africano sin ningún lugar a dudas, y tenía el pecho más ancho y más duro contra el que se había empotrado jamás.

Eva dio un paso hacia atrás, ruborizada. En el momento en el que se giró, ella se colocaba poco discretamente el cordón del molesto tanguita nuevo que llevaba, por lo que el golpe contra el desconocido lo habían amortiguado sus senos directamente. No le había oído caminar detrás de ella. O bien él era muy silencioso o ella estaba ensimismada, o ambas cosas a la vez.

Con su habilidad de oteadora habitual, le bastó un segundo de repaso visual para constatar que estaba muy, pero que muy bueno. Se disculpó y se soltó de sus brazos, ya que había tenido la amabilidad de sujetarla para que no se cayera, aunque no de apartarla.

Murmuró un «perdona» rápido y se escabulló, mientras él con una sonrisa pícara contestó con un «adiós, guapa». Eva buscó en casa sus gafas de sol y bajó rauda, pero ya no había ni rastro de él.

Paseó durante toda la mañana, necesitaba ejercitar las piernas un poco. Los vendedores ambulantes, en su inmensa mayoría africanos, colocaban su mercancía ilegal, y se iban cuando llegaba la policía..., un ritual al que Eva no había prestado atención jamás hasta ese día.

Sin poder evitarlo les miraba de reojo para buscar entre ellos al chico en el que llevaba pensando desde hacía horas.

Nunca se había fijado en que algunos de ellos eran increíblemente guapos, y en su inmensa mayoría musculosos y, suponía Eva, ágiles. Este en concreto le había parecido guapísimo. Se tumbó a descansar en el parque del Retiro. A esas alturas ya pensaba que había sido tonta por no haberse vuelto de nuevo y haberle invitado a tomar algo con la excusa del atropello, o lo que fuera. La propuesta hubiera sido bien recibida, no le cabía la menor duda, pero ya no tenía solución. Eva llevaba sin tener sexo casi un mes y se subía, literalmente, por las paredes.

Su último destino de trabajo laboral había sido un país árabe y no se había permitido allí ni un desliz, ni siquiera uno pequeño, como por ejemplo, salir del hotel. Estaba loca ya por volver a Europa, y sentirse una ciudadana normal, con todos sus derechos íntegros, otra vez.

Tumbada en la hierba no se quitaba el pecho del chico de la cabeza. Ella no era muy pequeña, casi alcanzaba el metro setenta sin tacones, pero aun así él le sacaba mucho más de una cabeza. A su alrededor, entre la penumbra de algunos árboles, varias parejas se besaban. Y posiblemente algo más, ya que Eva vio cómo una familia con niños pequeños emigraba de la zona en la que se disponían a desplegar la merienda.

La había sujetado con unos brazos muy fuertes. De hecho, no la había soltado hasta que ella no hizo un movimiento de liberación. Aún podía sentir la presión de sus dedos en los antebrazos. «Necesito llamar a alguien», se dijo, «me va a dar algo». No sabía a cuál de sus amigos contactar, quién estaría disponible para pasar por su piso en tiempo récord. A su lado, bastante cerca de hecho, una pareja estaba efectivamente pasando a mayores, salvo que los gemidos fueran de dolor por estarse pinchando con ortigas, lo cual era bastante improbable.

Los suspiros de la chica le estaban llevando el corazón al límite. Notaba cómo la tensión entre sus piernas aumentaba y allí tirada no iba a poder solucionarlo.

Llegó a su portal con la idea fija de satisfacerse al menos con sus manos en cuanto alcanzase su puerta. Generalmente subía hasta el cuarto piso por las escaleras pero ya había hecho ejercicio suficiente. Esta vez prefirió esperar al ascensor, que antes de que ella pulsase el botón ya anunciaba que bajaba.

La puerta se abrió, y mostró a su viajero. Eva dio un pequeño gritito, encantada, mientras pensaba: «¡Bingo!». «¡Esto sí que era un golpe de suerte!». Se metió dentro y cerró la puerta tras de ella.

La cama de Eva medía dos metros de largo y aún así a su nuevo amigo se le salían casi los pies. Estaba amodorrada, tumbada a su lado abrazada a él, con la cabeza en su pecho mientras con los dedos le acariciaba el corto y ensortijado vello negrísimo del pubis. Paró sus movimientos para dejarle descansar. Eva seguía con los ojos el recorrido de su cuerpo y de sus piernas larguísimas.

Se le había arrojado encima dentro del ascensor, como involuntariamente había hecho unas horas antes. No solía ser tan impetuosa, generalmente, pero la emoción de verle de nuevo y la sonrisa de alegre sorpresa que él le dedicó fueron más que suficientes para ella.

Esa vez era él el que tenía los brazos a la espalda. Se apoyaba recostado en el fondo del ascensor, por lo que Eva tuvo más fácil acceder hasta sus labios y prenderse de ellos con un beso húmedo y ardiente. Se había apretado contra su cuerpo inmóvil y durante un segundo Eva sopesó la posibilidad de que la rechazase. Más tarde, en la cama, él le confesó que era lo último que se esperaba que le fuese a ocurrir en ese momento; que no fue rechazo, era evidente, sólo impresión. Y que cuando se chocaron la primera vez él no pudo evitarlo porque estaba demasiado absorto contemplando su lucha por colocar el tanga correctamente.

Sin embargo, antes, en el ascensor, ella sólo sintió alivio..., qué segundo tan largo... cuando las manos de él salieron de su escondite y la rodearon, primero tímidamente, posándose en su cintura, luego en sus caderas, y cuando ella se apretó decidida con todo su cuerpo, en su trasero. Con delicia comprobó Eva que no venía solo, sino que llevaba un amigo entre los pantalones que, como decía Dolly Parton, también se alegraba de verla. Un amigo que resultó ser como él, pero en versión juguete de placer. Grande, suave y firme.

Max dormía ahora plácidamente. Eva intentaba no moverse mucho, para no despertarle. Aprovechaba esa quietud para examinarle bien. Entraba por la ventana una luz tenue que iluminaba su piel oscurísima con reflejos plateados. No era del color del café con leche que ella había conocido en sus amigos caribeños, sino del café solo y concentrado que le gustaba tomar. Tenía casi a la altura de los ojos sus pezones. Los tenía muy sensibles. Le había vuelto loco que se los pellizcase y se los mordiese, y él había correspondido haciéndole lo mismo a ella. Ahora querría extender la punta de la lengua y lamer el que tenía justo bajo la boca, pero no quería despertarle.

Estaba hipnotizada por su olor. Llevaba una colonia que ella conocía en otros hombres, pero en él producía una combinación química que ascendía por su nariz y le paralizaba el cerebro entero. Le había olfateado de arriba abajo, mientras le lamía con cuidado.

Puso la punta de su lengua, despacito, sobre el botón oscuro que tenía a su alcance. Luego otro poquito más. Se hizo un poco más pequeñito, respondiendo a su caricia. Le miró a los ojos, que ahora tenía entornados. Vaya, le había despertado. Qué bien.

Ascendió un poco, reptando hacia arriba, para depositarle un beso en los labios. Se enroscó en su cuerpo y aprovechó para colocar su mano sobre el cariñoso pene que tanto placer le había dado un rato antes. Le abrazó con las piernas, mientras él terminaba la lenta caricia con la que obsequiaba sus nalgas introduciéndole en la cálida abertura un par de sus largos dedos. Eva gimió y enterró su rostro en el cuello de él, aspirando su esencia, y se quedó dormida.

Estaban en el parque del Retiro. Su cuerpo recibía oleadas de placer indescriptible, el sol le daba en los ojos y ella los cerraba para sólo sentir. Los abría para verle. Era curioso porque él estaba completamente desnudo, y nadie alrededor parecía escandalizarse. Ella estaba vestida, pero le dejaba que le levantara la ropa y con las piernas abiertas se entregaba a sus manos. Un temblor intenso de todo su cuerpo la despertó casi de golpe. Le costó unos segundos reconocer lo que estaba pasando. Ahora estaba tumbada de espaldas en la cama, con las piernas tan abiertas como en su sueño mientras su centro de goce era invadido por los mismos dedos maravillosos con los que estaba soñando. Estaba tan húmeda y temblaba tanto que pensó que había tenido un orgasmo auténtico. Max la besaba, con los labios mullidos y golosos, le mordía la boca, mientras su mano continuaba en su tarea de darle placer. A ella no se le ocurría mejor forma de despertar a una mujer.

Eva le abrazó y descendió una de sus manos hasta el pene de él, que estaba mucho más que dispuesto para la acción, durísimo y enorme. Gimió de gusto al tocarlo.

Era casi de noche, por las ventanas ya no entraba luz. Debían de llevar dormidos los dos toda la tarde. Max se tumbó boca arriba mientras la movía para que se colocase encima de él. No decían ni una palabra, sólo los gemidos y los suspiros llenaban la habitación.

Se empaló en él de un solo golpe sintiendo que iba a enloquecer. Se movía rítmicamente, gritando sin poder contenerse, «al cuerno los vecinos», pensaba, y el cuerpo de él se arqueaba con tanta fuerza a veces, que no salía disparada por lo fuertemente que la sujetaba por las caderas. Leía tanto placer en sus gestos que eso la enardecía aún más, si era posible.

El mes sin actividad de ninguna clase le estaba pasando factura y se sentía morir de cansancio. Ralentizó sus movimientos para recuperarse mientras con las uñas le recorría los brazos, el vientre, el tórax... No eran músculos de gimnasio, seguramente era así su naturaleza. Fibroso y duro, con la piel suave y casi sin vello, como la de un niño.

Era evidente que Max necesitaba ya llegar al orgasmo y que no lo iba a conseguir a un ritmo más lento. La descabalgó con cuidado, la levantó casi como si fuera una pluma y la ayudó a colocarse de espaldas a él, con las rodillas y las manos clavadas en el colchón.

Se entretuvo unos instantes en acariciarle el culo, con las manos llenas, con pequeños pellizcos en los labios rosados que se le abrían expectantes.

La penetró despacio, como si esta nueva postura requiriese un trabajo más preciso y Eva sintió que la llenaba entera. Le producía un placer indescriptible esa barra de hierro ardiente en sus entrañas y gritaba enfebrecida con cada una de las embestidas, que eran cada vez más rápidas y fuertes, hasta que Eva llegó entre espasmos a su propio clímax.

Max se tumbó a su lado sin haber culminado su propio placer y esperó, como antes había hecho, a que ella hiciese un nuevo movimiento de acercamiento. Evidentemente no era de los que abrazan amorosos tras terminar el acto ni entremedias, salvo indicación expresa, por lo que ella se colocó sobre su costado derecho, dándole la espalda, pegada a él como dos cucharitas.

Así enlazados, ella le besaba las palmas de las manos y él le depositaba suaves besos en el pelo. Estaba exhausta y satisfecha. Ella se giró sólo un poco para susurrarle que le gustaba mucho. El respondió: «Tú a mí también». Eva sentía aún su verga dura bajo su trasero. No tanto como antes, pero aún dispuesta. Pero estaba demasiado cansada. Necesitaba un descanso largo. Le chupó lentamente los dedos, uno por uno, sólo la punta. Sabían a ella, y eso le encantaba. Estaban salados de deseo, de su deseo. Notó cómo su pene adquiría aún más consistencia. Recordó la fuerza de las embestidas de la batalla que acababan de librar y su vagina vibró porque aún le sentía dentro. Quiso decírselo.

—Me ha gustado mucho ese momento, cuando tú estabas por detrás... –acertó a susurrarle.

—¿...Estaba qué?... –Él acercó el oído a sus labios.

—...Por detrás... –Eva exhaló un gemido al decirlo porque mientras le preguntaba, Max le acariciaba el pecho izquierdo con fuerza.

De repente él musitó un «ah», como comprendiendo, y soltó el abrazo dejándola tumbada boca abajo, con el rostro en la almohada. Le abrió las nalgas y sin más contemplaciones comenzó a introducirle el pene durísimo de nuevo, esta vez por la puerta pequeña. Eva dio un pequeño grito de sorpresa. No se lo esperaba en absoluto. Esto era, evidentemente, lo que él había estado esperando y no se había atrevido a pedir. Y pensó que era una invitación por parte de ella... ¡Los problemas del idioma! Max dedicó una de sus manos a masajearle el clítoris, que volvió a empaparse con el contacto. Le susurraba al oído: «Sí, sí, sí...» y en cada «Sí» empujaba un poco más, hasta que estuvo dentro de ella del todo. No pensaba moverse de ahí. La presión circular de sus dedos, la vulva aún hinchada del placer anterior y la presión en sus entrañas les llevaron a ambos a un orgasmo feliz y prolongado.

Desde luego hablaba muy poco. En los primeros preludios de su encuentro, tras abandonar el ascensor en el que se habían ya palpado todas las zonas posibles, sólo le había dicho que se llamaba Max, y que era de Mali. Eva no era capaz de situar Mali correctamente en el mapa, pero en ese preciso instante le daba igual.

Era casi una cuestión de cortesía saber el nombre y el país de origen del hombre al que estaba arrancando la ropa y que le estaba estrujando los pechos desnudos en el pasillo de casa. Segundos después, de rodillas, ocupaba su boca entera en comerse el pene increíblemente erguido que acababa de ver la luz por fin. Como diría su amiga Sara: «Señoría, no hay más preguntas».

A la mañana siguiente le despertó de la misma manera, lamiéndole el miembro hasta que ambos, hombre-grande y hombre-pequeño, se desperezaron completamente. Había encontrado un vicio nuevo, y estaba encantada con él. Le fascinaba su altura, sus hombros anchísimos y su vientre liso, sus piernas firmes de muslos perfectos. Le encantaba su sexo, de azabache circuncidado, y también su cara, de una belleza exquisita. Cuando Eva le decía que era muy guapo, él sonreía y contestaba con un satisfecho: «Ya lo sé».

Que Max tenía muchos secretos era algo que saltaba a la vista. Hablaba conscientemente poco, estaba claro que pensaba que mientras menos se supiera, menos preguntas le harían. Según él, en su país pensaban que si la gente hablaba mucho de una persona, sobre todo con envidia, acababa trayendo a esa persona la desgracia. Por eso era mejor pasar desapercibido y en silencio por la vida. Para Eva no eran más que supersticiones absurdas, pero fingía entenderlo. También según él, esa era la razón por la que no quería que sus conocidos africanos le vieran con ella por la calle, ni por ningún sitio. Eva sospechaba que lo que probablemente ocurría era que entre sus conocidos había quizás una, o varias conocidas, y no quería que ella o ellas se enterasen de sus amoríos con una mujer blanca. Cuando ella le insinuó esto, entre risas, él se mostró muy dolido. «¿Por quién le había tomado?»... «Él no andaba por ahí con mujeres, salvo con ella»... «¿Cómo podía pensar eso de él?»... «¡Le estaba ofendiendo profundamente!».

Max desaparecía a veces durante días. A ella le había contado que estaba vendiendo en la calle, ya que desde que perdió el trabajo con la crisis, no había encontrado otra forma de subsistir. Aunque no le parecía bien, Eva no juzgaba, no preguntaba, pero nunca se le encontró haciendo aquello que decía. Ardía de curiosidad por saber dónde pasaba el tiempo y de qué subsistía. Sus días eran un misterio. No vivía en su edificio, aunque sí en el barrio, pero no sabía exactamente dónde. El día que le conoció volvía de visitar a un amigo, le había dicho.

Una de las mañanas le siguió. Estaba además molesta porque tras las dos primeras veces que él pasó en su casa, en las que el sexo con él fue una experiencia maravillosa, comenzó a mostrarse diferente. Seguía siendo amable y dulce, pero sus demostraciones de afecto se reducían a la cama sólo y exclusivamente. No se caracterizaba Eva precisamente por una naturaleza soñadora, servil y romántica, y no estaba acostumbrada a que un hombre esperase de ella, por ejemplo, que tras una noche de amor, se levantara corriendo a prepararle un suculento desayuno. Una vez, vale; dos, bueno..., pero a la tercera ya le planteó, irónica, si no debería llevarle el servicio en una bandejita con una cofia y la servilleta colgando del brazo. Desde luego, estaba muy mal acostumbrado.

En cuanto a la cama, además, había comenzado a comportarse de la misma manera. Se tumbaba boca arriba, suponiendo que el uso de su miembro, siempre dispuesto y en excelente forma y tamaño, eso sí, complaciera a Eva totalmente sin tener que hacer más esfuerzo por su parte. Cuando Eva se agotaba de galopar sobre él, tras uno o varios orgasmos, la empujaba con suavidad pero con firmeza por los hombros hacia su pene para que terminara el trabajo con la boca.

Eva no se oponía a ese juego, todo lo contrario. Le gustaba tanto que a veces cuando la visitaba no le dejaba entrar más allá del pasillo, sólo por la prisa de tener el goce de llevarse su juguete a la boca y verle temblar, allí, de pie, antes de saludarse siquiera, como el primer día.

Pero el sexo era un juego compartido, eso ella lo tenía claro, y él ni muerto le hubiera hecho a ella lo que él le pedía constantemente. Ni siquiera un simple besito en el monte que tanto placer le daba. Ni una caricia una vez fuera de la cama. Nada. Se comportaba en todo momento como si fuera el marajá de algún lugar perdido en horas bajas. Tal vez fuera cultural, pensaba Eva, pero echaba de menos un poco de atención y hasta de romanticismo, aunque fuera del de mentira.

Esa mañana en concreto se decidió a seguirle, sobre todo por la prisa que demostraba tener. El despertador no había sonado y él se apresuraba tanto que Eva no se lo pensó dos veces. Se vistió en un par de segundos y cruzando los dedos para que no la descubriese ni se metiese en el metro, alcanzó la calle.

Le vio andando con rapidez. Había bastante gente por la calle pero a él era imposible no verle. Iba tan rápido y tan concentrado en lo que fuera a hacer que no había riesgo de que pudiera volverse y descubrirla.

De repente, sin dejar de consultar su reloj, desapareció en un portal. Eva intentó ser más cautelosa. La puerta estaba abierta, sujeta con una pequeña cuña para que no pudiera cerrarse. El edificio no era el mejor de la barriada pero tampoco parecía una casa okupa. Dentro había un pasillo con puertas grandes a uno de los lados, como si fueran locales, al fondo, una vieja escalera de madera barnizada hacía no mucho tiempo, de esas desgastadas por el centro por tantos años de pisadas y más allá, un patio. De algún lugar salía música de una trompeta, que ensayaba.

Se quedó pensativa unos segundos. Sopesaba que lo mejor sería dejarle empezar aquello que fuera a hacer, y entonces comenzar su merodeo. Se había apartado un paso de la puerta de la calle y se decidió a entrar. En ese preciso instante le bloqueó el paso el propio Max, que salía nerviosísimo hablando por teléfono con alguien. La miró alucinado mientras seguía su irritado diálogo con alguien en su idioma. Colgó mientras le oía lanzar entre dientes un claro «¡puta!» en francés. Supuso que había oído mal, jamás le había escuchado antes una palabra malsonante. Fue consciente de que no le había escuchado muchas palabras, ni malsonantes ni de las otras.

—¿Qué haces aquí? –casi le gritó, de la sorpresa.

—Paseo por donde me da la gana. –No pensaba decirle la verdad. No después de oír lo que acababa de oír. Parecía que sí que conocía a alguna mujer, al menos lo suficiente como para llamarla puta.

Ella le miró desafiante. Él pensaba rápidamente. Se pasó la mano por la boca y por los ojos, estaba muy preocupado por algo, oía a su cerebro bullir.

—¿Qué vas a hacer esta mañana? –le preguntó al fin–: ¿Hoy no trabajas?

—No, hoy tengo cosas que terminar en casa –Eva se preguntaba por dónde le iba a salir ahora.

Max lanzó un suspiro bajando al suelo los ojos y murmuró un «joder», como si estuviera a punto de hacer algo execrable, y sujetándola por la muñeca le hizo seguirle escaleras arriba, hasta un espacioso lugar lleno de luz cuyo olor indiscutible Eva reconoció a lo lejos: ¡Trementina! Era un taller de pintura, indudablemente.

Aún con su muñeca en la mano, se plantó con ella en una de las esquinas de la sala, frente a un hombre delgado y también muy alto, de mandíbula cuadrada y pelo ensortijado recogido en una coleta, que le miró llegar con cara de pocos amigos.

—Ya estoy aquí –le dijo al hombre–. Podemos empezar enseguida.

El hombre delgado miró a Eva, primero con curiosidad y luego valorativamente. La estaba estudiando, como si mirase a través de su vestido corto y de su ropa interior transparente.

—Dame un minuto –siguió diciéndole Max al hombre, que se volvió para comenzar a colocarse una bata de pintor y dejarles hablar.

—Por favor, escúchame bien… –le dijo a Eva con su ronco acento varonil que a ella tanto le gustaba– No te pediría esto si no fuera muy importante para mí. Trabajo en este sitio porque necesito el dinero. Dejo que me pinten…, desnudo. En la calle no se gana lo suficiente. Te juro que odio hacer esto, es una vergüenza para mí. ¡Pero no tengo otro remedio! Generalmente vengo solo, pero a veces los dibujos son en pareja, y mi… amiga no quiere venir hoy, en el último segundo. No es la primera vez que lo hace y Marcel está furioso. Si no hay sesión hoy, no hay más trabajo. Ella… ella me ha dicho que le hablaría a todo el mundo de esto si la volvía a presionar para venir hoy… Si se lo cuenta a alguien todo el mundo sabrá a qué me dedico y algunos aquí conocen a mi familia. Conozco a más de uno que correría a llamar a mi madre. Mi… amiga… no tiene a nadie en África, todo le da igual, pero… mis padres…

Eva sopesó la situación. Era el parlamento más largo que le había escuchado nunca. Max aún no le había soltado la muñeca, de lo nervioso que estaba. Sintió lástima por él. Agradecía nuevamente haber nacido en una cultura en la que la libertad personal era un bien incuestionable.

Sin pedirlo directamente con palabras, como era su estilo, le estaba pidiendo que posara casi con toda seguridad desnuda frente a un grupo de desconocidos.

No se le había pasado de largo el temblor en la voz cuando había pronunciado «mi… amiga» y «ella… ella…». «¡Mentiroso!», pensó Sara.

—Max... —le dijo en un tono algo teatral— ¿Me estás pidiendo en serio que me exhiba sin ropa frente a todos estos hombres? Esto es algo...

«¡Fantástico!» pensó.

—¡Horrible! Claro, cómo he podido hacer algo tan estúpido... Eva, por favor, perdóname, no merece la pena, le diré a Marcel que lo siento, que...

—No, no, Max. —Ahora era ella quien le cogía de las manos, amorosa— Haré por ti este sacrificio, por supuesto que sí.

La besó en la frente y la sostuvo entre sus brazos unos segundos. Luego los dos se dirigieron de nuevo hacia el tal Marcel, para recibir instrucciones. Los estudiantes comenzaban a llegar, aunque aún no se habían situado. Sólo eran seis. Cinco hombres y una mujer. Dos de ellos eran terriblemente atractivos y, «¡Bien! no dejaban de mirarla». Otro jovencísimo, casi un adolescente, un par de chicos gays (Eva les reconocía a larga distancia, aunque nadie más lo hiciera) y una mujer de edad bastante más que madura.

Mientras Max recibía instrucciones, Eva, que no sabía qué se esperaba de ella, comenzó a desnudarse. La paró la exclamación de susto de Max. Según parecía, quitarse la ropa allí en medio no era decoroso. Debía pasar a un vestuario minúsculo que había al fondo de un pasillo, y salir con un albornoz puesto.

Cuando volvió a la sala Max, ya con su improvisado vestuario, demasiado corto de piernas y de mangas para él, discutía nuevamente con Marcel. Según parecía, intentaba imponer algunas reglas para el posado de Eva.

—Esta es mi novia —le decía airado al sufrido dueño del local—. ¡No creo que sea tan importante que se vea todo de ella! ¡Sólo está aquí para hacerme un favor!

Eva consideró por los gestos y los bufidos del otro que estaba valorando enviar definitivamente a su modelo y sus exigencias al cuerno para siempre, cuando intervino.

—Bueno, seguro que todo se puede hablar... siempre hay algo que se pueda hacer... —Y miró directamente a los ojos de Marcel.

Se estableció entre ellos una corriente de entendimiento inmediato. Había captado la situación entera y todo lo que ella le quería transmitir en un solo gesto de sus ojos. Marcel dijo que de acuerdo, que ella podría cubrirse, un poco, con un paño. Gastó algunos minutos en recomponer el estrado en el que ellos deberían colocarse. Subieron un pequeño sofá redondo, sin respaldos ni brazos. Le pidió a Max que se colocase sentado, pero él insistió antes en ver cómo se colocaba Eva. Marcel le pidió a ella que se quitara la bata y se sentara en el sofá. Max suspiró, resignado, mirando al suelo. A Eva le dio lástima otra vez. Parecía un hombre derrotado, tal vez sí sentía algo por ella. Estaba ahora completamente desnuda en el estrado, fingiendo un pudor que no tenía y escuchando sin ninguna intención de cubrirse aún la posición que debía adoptar. Iban a estar de espaldas el uno al otro, él en la posición del pensador, para que la diferencia de altura en esa posición no fuera tan acusada, ella apoyada ligeramente en su espalda. Habían tenido que cambiar el modelo a realizar «por exigencias del guion», recalcó en alto Marcel, ya que la modelo de hoy era *amateur* y no podría permanecer en posición incómoda tanto tiempo.

Aún Max murmuró un «lo siento» cuando notó la espalda de ella contra la suya. Lo que no podía imaginar era que el temblor ligerísimo que notaba en el cuerpo de ella no era de vergüenza ni de pena, sino del puro placer de exhibirse que le recorría a Eva el cuerpo entero, desde la punta del pie hasta la coleta alta que se había tenido que hacer para que su bello cuello y sus hombros se pudieran ver perfectamente. Marcel sólo le pidió que se sentara de la manera más cómoda posible, ya que una vez elegida la postura no podría cambiarla en casi una hora. Con la espalda suavemente apoyada, colocó los brazos a lo largo del cuerpo y abrió ligeramente las piernas.

Marcel había tenido la audacia, o la crueldad, de colocar a los alumnos en semicírculo, en el orden que él había querido. Los dos muchachos homosexuales y la anciana con la visión de frente de Max, y los otros más de frente a ella. Le colocó la gasa sobre un muslo, tapando sólo la mitad de su vulva íntegramente depilada en ese momento.

Eva gozaba tanto con esa situación improvisada con la que le había sorprendido el nuevo día que se sentía feliz. Todo era deliciosamente obsceno desde su punto de vista. Tenía frente a ella a varios hombres con los ojos clavados en su cuerpo. Uno de ellos sobre todo, le lanzaba unas miradas a los pechos que denotaban a sus ojos un interés más allá de lo profesional.

—Recordad lo que os dije, no prestéis atención al rostro, sólo un par de líneas bocetadas. Quiero que todo vuestro empeño se dirija al cuerpo.

De vez en cuando, siempre en una voz baja pero perfectamente audible, musitaba a alguno de los estudiantes algo como: «...Ese pezón es más pequeño» o «fíjate mejor en la curva de su vientre, y cómo desciende hacia su pubis...», «no, no, esa vulva que se adivina no tiene esa línea, mírala mucho mejor, ¿lo ves? Desde su posición se transparenta casi entera tras la tela, eso debe insinuarse en tu dibujo también».

Max debía de estar sufriendo mucho, escuchando todo aquello. Apenas sentía su queda respiración a su espalda. Pero si Eva hubiera podido hablarles a los alumnos también, hubiera sido algo como: «Fíjate que los pezones son pequeños porque estoy muy excitada» u «Observa bien el botón que se adivina entre mis labios ahí abajo, ¿no ves cómo está húmedo y palpitando?»... «Mira cómo tiemblan mis muslos, porque estoy viendo como te excitas al ver mi cuerpo desnudo, y estoy imaginando una orgía en la que Marcel y tú llegáis hasta mí y me hacéis el amor aquí mismo, de cien formas posibles».

Las miradas de los estudiantes iban y venían de su cuerpo al dibujo, del dibujo al cuerpo. Las del profesor se clavaban en ella abriéndole cada poro de la piel.

Los cuarenta y cinco minutos volaron para ella. Cuando se incorporó se tapó discretamente con el paño, mientras Max estiraba la espalda, evidentemente dolorida. Salieron de allí en silencio. Max no había querido mirar los bocetos, ni había sido testigo de cómo Marcel le deslizaba a ella su número de teléfono anotado en un papel en uno de los bolsillos del vestido.

Salieron a la calle de la mano. Max iba triste. Eva intentó convencerle de que no pasaba nada, de que no sufriera así porque esa era una ocupación tan honorable como otra cualquiera; que no tenía nada de ofensivo, ni de indecoroso. Le dolía verle tan abatido, sobre todo porque él pensaba que el mismo sentimiento de vergüenza que arrastraba se lo había hecho ahora compartir a ella.

Le repetía que no, que ella estaba bien, y que no le parecía mal en absoluto que en tiempos de vacas flacas, o incluso gordas, se dedicara a eso, más aún con el cuerpo perfecto que él tenía. Que era un trabajo de lo más normal.

—No en mi mundo —suspiró él.

Eva, aun sabiendo que no era el momento, no podía dejar pasar el comentario sobre el noviazgo que había hecho. Pues claro que él pensaba que eran novios, ¿qué eran si no? Eva le dijo que le sorprendía que dijera eso, que nunca la había tratado como se trata a una novia, que nunca iban juntos a ninguna parte, amén de la otra chica que acababa de descubrir que existía, fuera lo que fuera en su vida... que... eso no era un noviazgo, vaya. Él demostraba no entender. Callaba con respecto a su «amiga». Realmente provenían de mundos, como decía él, diferentes. Tal vez así se trataba a una novia en su país, no lo sabía, pero Eva no estaba dispuesta a admitir un cambio en sus costumbres y en lo que era correcto para ella. Si alguna vez decidía volver a atarse a alguien, definitivamente él no era la persona. Le sorprendía hasta que se lo hubiera planteado.

Max le dijo que necesitaba pensar, que se sentía extraño. Le dio un beso en una de las mejillas cuando se despidieron. Vaciló un segundo y Eva leyó en sus ojos que lo que quería en ese momento era subir a casa con ella. Le hubiera dicho que sí inmediatamente, la sesión había sido una tortura de excitación para ella y le deseaba muchísimo, daba igual el título que tuviera su relación, pero él no dio el paso y ella se dio cuenta de que era mejor dejar enfriar el momento. Aún no había recuperado totalmente el aspecto seguro y orgulloso que le caracterizaba, pero Eva estaba convencida de que se reharía enseguida, no creía que fuera cuestión ni de dos horas. Para sacudirse de encima su propia morriña y porque seguía temblando de excitación, llamó a Marcel. Vaya pregunta, claro que quería verla. Esa misma tarde era adecuada, porque era el momento en el que cerraba el estudio y en el que pintaba sus propias obras en su casa. Le gustaría además utilizarla de modelo para un cuadro muy especial, si a ella no le parecía mal, para eso le había dado el teléfono. Eva lo encontró muy divertido. Ya estaba perfectamente.

Llegó a su casa a la hora prevista. Era un piso también en el centro, una buhardilla muy grande y cómoda, de techos inusualmente altos, con dos estancias claras. Una destinada a salón-dormitorio y otra a estudio, en la que había varios cuadros, algunos a medio terminar. En uno de ellos estaba Max. No se le veía apenas la cara, que tenía inclinada, pero reconocía perfectamente su cuerpo. Desnudo, abrazaba a una chica con un color de piel muy parecido al suyo. Era un abrazo cerrado, en el que ella apoyaba sus enormes pechos en el brazo de él, y tenían las piernas enroscadas. Se notaba una complicidad que traspasaba el lienzo. El pintor era muy bueno, y la pareja se conocía muy íntimamente. Las dos cosas.

Marcel vio que miraba el cuadro.

—Se llama Fama —dijo Marcel señalando a la amiguita de Max.

—Ah —Eva sintió una mezcla extraña de indeferencia y rabia en ese momento— ¿Por qué no quiso venir esta mañana, lo sabes?

—No… esa es la otra.

Marcel lo encontraba divertido, era evidente, a tenor de la sonrisita que lucía su rostro.

—No soy el tipo de mujer a la que eso le amargue una fiesta…, ni una sesión de modelaje. Pretendías pintarme ¿no?

Eva no pensaba andarse con mil rodeos. Marcel le gustaba. Le preguntó qué era lo que quería pintar y él le mostró una litografía de El origen del mundo de Courbet. Le dio la risa.

—¡Yo no tengo tanto pelo ahí abajo, ni tan negro! –Eva se partía. La situación le encantaba.

—Por supuesto, quiero una versión moderna del cuadro. Quiero una vulva nueva, quiero la tuya. ¡Tú eres el origen del mundo para mí!

Eva aceptó la oferta encantada. Le preguntó si también debía desnudarse en algún lugar de la habitación y aparecer enfundada en una bata.

—Nada de formalismos, querida. Desnúdate aquí. Apenas te recuerdo, tal vez no he acertado en la elección –dijo sonriendo lascivo, recostándose en un sofá mientras contemplaba cómo ella se desnudaba lenta y hábilmente.

—Te recuerdo que no vas a pagarme nada, con lo que esta vulva –Se la señaló con el dedo, pícara– se va de aquí a la menor grosería.

Su rostro le indicó que no, que habían entrado ya en un terreno distinto. Le pidió que se tumbase en el amplio diván y que abriese las piernas del todo, igual que en el original de Courbert.

Mientras le tomaba medidas entre sus piernas con el larguísimo pincel ella le preguntó con guasa si su auténtico nombre era Marcel, ¿No sería que se llamaba Marcelino, y se lo había cambiado por esnob?... Él le contestó que no, que era el nombre que heredaban todos los primogénitos de su familia desde su trastatarabuelo, que era normando.

—Malvada... –le dijo propinándole unos suaves golpecitos entre sus labios abiertos con el pincel.

Ese simple roce le hizo estremecer de placer y dejó las chanzas. Marcel comenzó con su dibujo. Ella no podía estar más cómoda. Le pidió que le dijera cuándo le estaba pintando los pechos, cuando el ombligo... Él le pidió silencio.

Era delicioso sentir sus ojos clavados en ella de aquella forma. El cuadro de Courbet apenas mostraba un montículo de vello, y la abertura cerrada entre las piernas de la modelo. Ella, sin protección ninguna, exponía su intimidad entera, todo lo más recóndito. Como leyéndole el pensamiento, le dijo que era preciosa. Que por eso la había elegido para ese cuadro. Que era una maravilla para cualquier pintor y para cualquier hombre. Eva pensaba que si le decía todo aquello para relajarla y distender sus músculos, estaba más que conseguido. Se sentía inmensamente feliz. Sin preocupaciones, sin ruidos.

Tras un rato en silencio, él le preguntó si necesitaba un descanso. Llevaba bastante tiempo pintando, él no lo necesitaba. Eva le dijo que no, que estaba bien así, que no hacía falta. Marcel se acercó a ella y se sentó a su lado. Le colocó una almohada en la cabeza para que estuviera aún más confortable. Parecía serio y le preguntó si había algún problema.

—De hecho, sí, hay uno... No consigo el efecto que necesito..., tienes un coño precioso. —Era la primera vez que pronunciaba esa palabra—. Pero le falta la consistencia necesaria. Necesito un poco de humedad aquí, y aquí.

Mientras decía eso tocaba levemente con su dedo índice los contornos carnosos de los labios de ella. Eva, tras un pequeño suspiro, le recordó que para que la humedad llegara a esos lugares, antes debían de estar humedecidas otras zonas.

Él convino con ella en que tenía toda la razón. Se levantó un instante y volvió armado con dos pinceles y un pequeño bote de cristal, que dijo contenía elixir de amor. Con el pincel pequeño, de suavísima marta, le acarició la entrada a su vagina, en pequeños círculos, arrancándole a Eva unas carcajadas irremediables, por las cosquillas que le hacía.

Tras unos segundos de observación, Marcel le informó de que el resultado era algo mejor, pero aún sólo aceptable. Con el pincel ancho empapado en el líquido del bote comenzó la tarea de barnizarle el sexo entero, volviéndola loca con la suavidad de los pelos del pincel, que subían y bajaban sin darle un segundo de tregua.

Entre gemidos le preguntó qué era ese líquido y él le dijo con una sonrisa que no se preocupara. Sólo era miel, rebajada con agua. La contempló unos instantes más, el rostro siempre entre sus piernas. Le dijo que el efecto era bueno pero aún no era perfecto. Que era una lástima, pero que tendría que retirar parte del ungüento antes de que los excesos resultaran demasiado evidentes y pegajosos. Se había pasado en la cantidad de miel y debía corregir su error.

Tal y como estaba ella suplicando mentalmente que hiciera, Marcel utilizó sus propios labios para retirar los excesos de elixir que le había aplicado. Movía la lengua lo suficiente como para provocarle unos espasmos electrizantes, pero no como para llevarle al orgasmo. Volvió a retirarse de ella, cuya respiración intentaba regular lo mejor que podía.

Le preguntó aturdida y feliz si ya tenía la consistencia necesaria y él le dijo que lamentaba que no. Que no tenía más remedio que tomar medidas drásticas. Salió del estudio y volvió con una especie de barreño grande. Era antiguo, de porcelana blanca, con flores lila pintadas en los lados. Probablemente una bañera de bebés.

Eva le miraba con la respiración aún entrecortada. Hubiera dado cualquier cosa por poder satisfacer el fuego que le ardía ahí abajo pero él le prohibió ni siquiera tocarse. Además, eso hubiera arruinado esa maravillosa diversión, ya que él había ideado algo nuevo.

Le pidió que se metiera en la bañerita, sólo sentada dentro, con las piernas por fuera, por supuesto las piernas abiertas. Eva se reía. Estaba disfrutando tanto que esperaba alegre los nuevos acontecimientos.

De repente le sobresaltó el estruendo de un corcho de botella al salir a presión hacia el techo. Era champán. Marcel le dijo que esta era una medida audaz para lo que él necesitaba. Lentamente comenzó a verter el champán entre sus piernas, directamente en su clítoris y por los lados de los muslos, por los que manaba hacia sus enardecidas partes íntimas el burbujeante líquido dorado.

Eva gimió de profundo gozo. Se sentía la protagonista de sus libros eróticos favoritos, era una de las musas de Anaïs Nin o de Anne-Marie Villefranche. El champán, ya cinco botellas, burbujeaba en su sexo provocándole tales sensaciones que no podía dejar de gritar y de gemir.

Cuando el delicioso vino dejó de hacer su efecto Marcel, le pidió que volviera a tenderse en la posición inicial, ya estaba contento con el resultado. Le secó solícito los muslos con una toalla de lino blanco.

Eva no podía soportar ya más y comenzó a suplicarle que hiciera algo ya. Le había visto el bulto gigantesco en los pantalones. Él la deseaba tanto a ella como ella a él, ¿es que no iba a hacer nada para aplacar eso? ¿No quería penetrarla? ¿No pensaba hacerle el amor?

—Por supuesto que sí, querida —respondió él con una larga mirada—. Voy a hacerte el amor toda la noche y todo el día de mañana, así que descansa porque aún no te voy a tocar... Lo primero es el Arte.

7

Sara se pone en forma

❦

Sara soltó la ley que estaba leyendo sobre la mesa de su despacho y se estiró todo lo larga que era en su elegante y funcional silla giratoria. Le dolían, de estar sentada, todos los huesos, los que sabía que tenía y los que no. Tenía que hacer algo por su cuerpo.

Sara siempre había encontrado alguna excusa más que perfecta para no hacer deporte de casi ningún tipo. Cuando no se había retorcido un tobillo, le dolía la cabeza, o tenía una boda, o un bautizo, o le duraban las agujetas del intento anterior (diez semanas antes), o «ay, por Dios, qué mal me viene hoy, mañana empiezo sin falta».

Se apuntaba religiosamente al gimnasio en cuanto engordaba veinte gramos, eso sí. Se compraba una equipación monísima y acudía el primer día, decidida a que ese fuera «el primero del resto de sus días como atleta total. Ya se veía, subida a la máquina andadora, compitiendo en la maratón de Vallecas, o en la de Nueva York, dejando atrás limpiamente a los esforzados keniatas, que entre lágrimas de impotencia le decían adiós con una mano.

Tras varios meses de abono riguroso del recibo sin haber vuelto a pisar por las instalaciones deportivas desde el primer glorioso día, tiraba la toalla.

Tampoco gozaba de espíritu competitivo. Ni en su más tierna infancia disfrutó jugando al voleibol, ni al baloncesto, ni al fútbol, ni a nada. Quien ganara o perdiera le traía sin cuidado y lo más entretenido de las marchas y las excursiones era el «momento bocadillo». En tiempos posteriores se convirtió en el «momento tapa y cervecita», pero la idea era la misma. Incluso ante la tele, encontraba que de los noventa minutos que duraba un encuentro futbolístico, la parte mejor era la celebración de los goles, cuando los jugadores, siempre los mejor dotados, se quitaban picarones las camisetas.

No tenía problemas con el peso, la temida Señora Menopausia aún se encontraba lejos, y tenía un éxito considerable entre los hombres. Todo junto conseguía que en su cerebro, la culpa se diluyera y todo permaneciera igual, al menos hasta los siguientes veinte terribles gramos.

En cuanto a las cremas, adquiría todas aquellas que prometían milagros inmediatos, como: «Reduzca treinta centímetros de cintura en cuatro días» o «haga desaparecer esa grasa que le sobra con un suave masaje». Tampoco podía criticarlas ni despotricar en contra de ellas airadamente porque, sinceramente... tampoco las hacía mucho caso. Una vez instaladas en su baño decoraban más que otra cosa. De vez en cuando se acordaba de ellas y se las aplicaba todas. Con un suave masaje.

Pero todo en esta vida necesita un acicate, una zanahoria colgando de una cuerda y un palito. Un verano, las amigas de Sara decidieron que «otra vez Ibiza, no», «qué aburrimiento ya de discotecas y de cuerpos macizos tostándose al sol»... «necesitamos un cambio en nuestras vidas». Lo cierto era que ese mismo año habían ido y venido de Valencia un montón de fines de semana. Les pareció una idea super revolucionaria hacer algo totalmente diferente: el Camino de Santiago.

La idea consistía en caminar durante seis días desde un punto determinado, en etapas de unos diecisiete kilómetros diarios, hasta llegar el último día al destino final. La histórica y bellísima ciudad de Santiago de Compostela.

Dado que, como siempre, la decisión se había tomado en el último minuto, sólo quedaban dos semanas para comenzar la ruta. Muy ajustado para pedir las vacaciones en el despacho de abogados y hasta para ponerse en forma adecuadamente. Todo el que había hecho el Camino alguna vez les rogaba encarecidamente que llevaran distintos tipos de calzado, y cremas protectoras de los pies, y tiritas a mansalva y un botiquín, y… y…

A Sara le preocupaba, pero no se lanzaba a decirles que no. No sabía si, sinceramente, aguantaría seis días caminando a ese ritmo sin ningún entrenamiento previo. Todos sus intentos de salir a andar se acababan convirtiendo siempre en una tarde de tiendas, que solían terminar con una Sara fresquísima, sin cansancio ninguno, pero tan cargada de bolsas de ropa, bolsos y zapatos, que tenía que acabar deshaciendo el camino recorrido en taxi.

La preocupación se la quitó de un plumazo su jefe. «¿Vacaciones?» «¿Y qué era eso?» «¿El Camino de dónde?» «¿Y seis días nada menos?» «De eso nada» «Dos, y gracias».

Sara le hubiera dado un beso en la frente, pero hubiera sido muy difícil de explicar y hubiera sentado un precedente terrorífico. Salió del despacho muy digna y llamó compungida a las amigas que se habían apuntado al viaje. «Laura, Carmen, Cris…, lo siento, chicas. Sólo puedo ir los dos primeros días. Ya, ya…, más lo siento yo».

Lo cierto era que ir los dos primeros días era bastante ridículo. Hacer el Camino de Santiago y no llegar hasta Santiago a ver al Apóstol era una tontería bastante importante, pero no se podía hacer nada al respecto.

Todo quedó organizado, de forma que Sara comenzaría el viaje con todas, llegando en tren hasta la ciudad elegida como punto de partida, caminaría con ellas el primer día y la mañana del segundo, ciudad en la que ella, tras la comida, cogería el tren de vuelta. Una paliza.

Sus amigas estaban entusiasmadas con la idea de realizar ese viaje. Todo el que lo había hecho alguna vez en su vida decía, además de todo lo de las tiritas, que había sido uno de los viajes más importantes de su vida. Habían conocido una gente increíble, peregrinos como ellos, y sobre todo, habían encontrado aquello que habían ido a buscar.

El Camino tenía, según les decían, una magia difícil de superar por otro tipo de recorridos. Una mezcla de diversión, espiritualidad, confraternización y una soledad que no era fácil explicar.

Sara no había tenido mucho tiempo para pensar en nada, tenía muchas cosas de su trabajo que dejar resueltas antes de irse. Hacía mucho que no pensaba en ella y en sus necesidades. Se encontraba en un punto de su vida en el que la pasión había desaparecido. Su última pareja había sido una persona fría y distante la mayor parte del tiempo, y le había dejado el termostato corporal en una temperatura demasiado templada para su carácter cálido y aventurero. Su temperamento enamoradizo y dulce necesitaba una nueva llama junto a la que calentarse.

El viaje resultó ser mucho más divertido de lo esperado. El primer día de caminata se lo pasaron bomba. Visitaron lo básico de la preciosa ciudad medieval a la que llegaron y cruzaron el puente sobre el río Miño que sería el comienzo de su caminar.

Iban como niñas de colegio, con sus mochilas a la espalda, e inexplicablemente alegres y risueñas. La ruta era monótona en algunos puntos, por carreteras normales y corrientes, e increíblemente preciosa en otros, atravesando zonas arboladas y más puentes centenarios, rodeadas de la exuberante vegetación, protectora y fresca. En uno de los bosques, junto a una cruz de piedra, metieron un papelito con sus peticiones al Santo. Sara escribió en el suyo: «Quiero volver a ser». El Apóstol la entendería.

Llegaron al final del día menos cansadas de lo que esperaban. Sospechaban que estaba relacionado con que era la primera jornada. La siguiente, como ya suponían, última para Sara, se hizo más complicada. Caminaban además más deprisa, ya que el tren que devolvería a Sara a casa no las iba a esperar. Cuando llegaron a la ciudad estaban realmente agotadas. Al menos habían llegado a tiempo. Sara se dio una ducha rápida en el hotel en el que se quedaban descansando sus amigas, se cambió de ropa y tras despedirlas a todas con mucha pena se encaminó a la estación. Se había puesto una camiseta de tirantes y una falda larga hasta los pies. Era el conjunto que elegía cuando, como entonces, necesitaba no pasar calor, no sentirse oprimida por la ropa, y estar absolutamente cómoda.

Aún le quedaban unos cincuenta minutos. Dejó la mochila en la consigna de la estación y se dio una vuelta, quería aprovechar para conocer un poco del pintoresco pueblo.

Se sentó en un banco de piedra, bajo un árbol, admirando una hermosa iglesia gótica, sólida, de líneas purísimas. En tan solo un parpadeo su bucólica visión fue invadida por unas ajustadísimas y cortas mallas, así como una también ajustadísima y torneada camiseta, ambas de *runner*, que acompañaban a una cara muy atractiva y masculina. El dueño de todo aquel cuerpo, otra obra de arte, aunque no fuera gótica, se había parado delante de ella y le estaba diciendo sin más: «Hola, eres muy guapa». No era el típico «¡¡Guapa!!» que oía a veces a su paso, la miraba serio y admirativo.

Sara le hubiera dicho que él era un monumento, pero se conformó con un discreto: «Tú también eres muy guapo». Y era absolutamente cierto. Para el chico aquella discreta expresión de reconocimiento fue suficiente y se sentó a su lado.

—Me gustaría mucho conocerte.

Sara dudó entre uno y dos segundos.

—A mí también.

Se había establecido, Sara no sabía cómo, una extraña corriente entre ellos, que circulaba rodeándoles dibujando la forma del infinito sin cesar. Los ojos de él hablaban de un conocimiento especial, y para Sara estar con él de repente se había convertido en algo de vital importancia. Ella era consciente de la hora que era.

—Me voy en el próximo tren a Madrid. Sale en cuarenta y cinco minutos.

—Bueno, al menos vamos a hablar un poco. Demos una vuelta, aquí hay ahora mucha gente.

Sara no se había dado cuenta de que otras personas que estaban esperando el tren también habían decidido contemplar el jardín y la ermita. Y estaba de acuerdo con él, prefería un poco de intimidad.

Tomó su mano y comenzaron a andar, Sara sintió seguridad con ese contacto. Se dejó guiar. Le dijo que se llamaba Rubén, que era de Santander, y que estaba haciendo el Camino por acompañar a unos amigos, pero que como hacía atletismo necesitaba hacer un poco más de entrenamiento, por eso mientras ellos se habían quedado descansando en el albergue, había salido a correr un rato. Ella no le contó que apenas podía mover las piernas por el mero hecho de haber andado dos días. Iba a quedar fatal. Como sus amigos, pensó. Le iba a decir algo cuando él la detuvo al llegar a una calle sin gente y la besó, rodeándola con sus brazos.

Notó que un fluido caliente le recorría todo el cuerpo y cómo se reblandecía al sentirle contra ella. Una de las manos de él ascendió por su costado y le tocó con delicadeza un pecho.

Sara dio un respingo. Había calculado que en esos minutos se besarían y poco más. Acertó a murmurar que en esa calle podría pasar alguien, que les iban a ver.

Rubén le suspiró al oído que tenía razón y volvió a tomarle la mano, conduciéndola hacia algún sitio.

—¿Dónde vamos?...

—No lo sé. Estoy improvisando.

Él parecía conocer el pueblo, al menos una parte y pronto se encontraron en una callecita muy estrecha y solitaria, en la que apenas cabían los dos. La apretó contra la pared mientras volvía a besarla, apasionadamente. A Sara le flaqueaban las rodillas, le sentía tan clavado a ella y la excitación dentro de sus pantalones era tan constante contra su vientre, que temblaba. Pero no podía dejar de pensar en el reloj.

—Rubén, me tengo que ir ya.

—Un minuto, por favor, sólo un minuto más de estar contigo…

Sara flotaba en una nube química que se había despertado en el cerebro de ambos y que los tenía prendidos en sus vapores. Reaccionaba más lentamente que él y sólo pudo gemir en el momento en que sintió cómo sus dos senos eran sacados fuera del sujetador y sus pezones eran besados.

Sara miraba a ambos lados de la calle, le horrorizaba la idea de que alguien pudiera aparecer y les viera. Se moriría de la vergüenza. Aun así no intentó ocultarlos ya que parecía que le enervaban de tal forma. Además, el contacto de sus labios y de su lengua jugando con la suya la tenía tan transportada que casi no fue consciente del momento en que él comenzó a levantarle la larguísima falda para meter la mano en el interior de sus bragas.

Antes de que Sara pudiera reaccionar y en un inexplicable movimiento que era a la vez rápido y lento, Rubén había alcanzado su objetivo y dos de sus dedos saludaban al botón entre sus labios, que no podía creerse su buena suerte. Los movimientos rápidos y constantes sobre él le provocaron a Sara unas oleadas de placer tan electrizantes que tuvo un orgasmo intensísimo casi inmediato. Temblaba sin poder controlarse. Rubén la miraba, concentrado en sus sofocados gemidos y en sus ojos, que le miraban entrecerrados.

Besaba tan bien que Sara tardó en darse cuenta de que aún no le había visto el cuerpo, mientras ella estaba medio desnuda de cintura para arriba desde hacía un rato. Le subió la camiseta y lanzó una exclamación de asombro. Tenía un vientre duro y liso perfecto, y unos abdominales tan marcados que cortaban la respiración. Y el pecho fuerte, durísimo, sin un solo pelo. Él la dejaba que le inspeccionase sin soltarla, sujeta por las caderas. Evidentemente era consciente de que despertaba admiración. Sara le recorría con la palma de la mano. Estaba tan absorta que no se había dado cuenta de cómo los ajustados pantalones marcaban otro tesoro, aún más prometedor incluso que los que en ese momento acariciaba.

Si los otros músculos le despertaron admiración, Sara pensó que el que ahora sostenía entre las manos merecía una vuelta al ruedo, dos orejas y…, nunca mejor dicho, un rabo. Le miró divertida, como una niña a la que regalan una muñeca tan preciosa y elegante que no se lo puede creer. Acarició su premio con la mano derecha, mientras la izquierda se había dirigido hacia el bíceps de su brazo. Su miembro era largo y fuerte, el pubis limpio, sin un solo pelo. Sara le acariciaba el pene suavemente, arriba y abajo, quería devolverle una parte por pequeña que fuera de lo que él le había dado. Rubén le gemía en el oído y eso la estaba volviendo loca: «Así, suave, así, así… Sara, Sara, Sara…».

Se agachó a besarle la punta del pene, tras una rápida ojeada a ambos lados de la calle. Lamió un instante, la introdujo en la boca, sólo para probar su sabor, que era maravilloso. Cuando subió de nuevo, aún con el miembro en la mano, él la besó con tanta pasión que Sara pensó que tendría otro orgasmo de nuevo. Juntando todas sus fuerzas volvió a guardar sus senos tras la ropa. Se tenía que ir, y pronto.

Pero Rubén tenía otras ideas, y soltándole las manos de las caderas le levantó la falda. Sara intentó impedírselo, por el mero hecho de estar en una vía pública, por pequeña que fuera esta, pero algo le pasaba a sus movimientos, que estaban laxos y perezosos, aún recorridas todas sus fibras por los espasmos del placer recibido y por la tensión del momento.

—Déjame verte, por favor, déjame verte...

Le sujetó la falda levantada y le apartó la braguita blanca transparente. Murmuró un «brasileñas» con fervor al ver sus partes íntimas depiladas de esa forma. Era evidentemente un experto en esos temas. Sara se humedeció otra vez de tal manera que agradeció llevar la falda tan larga, así podría disimular mejor la inundación.

Rubén quiso penetrarla en ese instante, pero se lo impidió. Le preguntó si llevaba algún preservativo. No, claro, quién sale a correr llevando eso encima...

—Bueno, sólo verte... date la vuelta, déjame que te vea... sólo verte...

Sara se giró y se apoyó contra la pared. Intentó no volver a mirar hacia los lados, rogaba que todo el mundo estuviera comiendo en su casa, a la fresca sombra del hogar. Sintió cómo le levantaba la falda y cómo quedaba totalmente expuesta. Le apartó la braguita mientras las exclamaciones de admiración de él le erizaban la piel y le hacían sonreír.

Le acariciaba las nalgas, seguía sus formas redondas con las palmas abiertas de las manos. Le ayudó un poco apoyándose con los codos en la pared, doblados bajo el rostro. Movió el culo hacia él. Era un movimiento peligroso, pero no podía evitarlo. Ojalá estuvieran en otro sitio y tuvieran toda la tarde, como mínimo.

También le debió de parecer un ofrecimiento. Sara sintió la punta de su pene recorriendo su abertura y cómo se detenía en su entrada. Giró la cabeza para decirle que no, que no tenían nada con lo que protegerse y que no se conocían. La besó en los ojos y en los labios, suspirando.

—Tienes razón, tienes razón..., no la meto dentro, sólo unas caricias más, sólo que se hagan amigos, que se conozcan, sólo eso...

Decía eso con la punta de su pene sobre el clítoris, «qué listo es», pensaba Sara, «se las sabe todas».

Su estado de excitación era tan grande que volvió a relajarse. Volvió a su postura, cerró los ojos contra los antebrazos y le dejó hacer. El pene subía y bajaba por la abertura, él gemía, se detuvo de nuevo en la entrada, tan mojada y tan cálida que comprendía que no pudiera dejar de temblar, igual que ella. Sintió cómo llamaba a su entrada y cómo se asomaba a ella. Sabía que estaba tardando demasiado, que tenía que cerrar la puerta ya y terminar la visita de cortesía amablemente. Pero en lugar de eso siguió quieta y sintió cómo la penetraba. Entraba en su interior, en su morada íntima, hasta el fondo, hasta la cocina. La sensación fue tan intensa que lamentó no poder gritar como hubiera querido. Eso la devolvió a la realidad.

Sara se movió, firme, él no iba a soltarla por su propia voluntad. Se aferraba a sus caderas, y seguía en su interior, preso de sus propias sensaciones.

Se giró de nuevo, sacándole de dentro de ella y se colocó la ropa. Él la abrazaba, serio. «Me gustas mucho, Sara. Me gustas muchísimo, no sé qué me pasa». A Sara también le gustaba, estaba tan tranquila entre sus brazos que se hubiera quedado allí en esa calle para siempre. La tensión que veía en sus ojos le indicó que no podía dejarle así. Le masturbó con las manos. Él se aferraba a sus pechos. Los apretaba ahora suave, ahora fuerte, mientras repetía su nombre, hasta que le llegó el orgasmo y regó las manos de ella.

Siguieron besándose unos minutos más. Y también al salir de su escondite. Rubén la conducía de vuelta a la estación y aún se paraba de cuando en cuando para volver a besarla. Sara le preguntó cuántas horas de gimnasia o de deporte hacía al día, y él le contó que muchas, que cinco o seis mínimo. No sólo era por su afición, el atletismo, lo necesitaba para su profesión. Como Sara estaba imaginando, Rubén era bombero. Le dijo que era algo que no le gustaba ir contando de primeras porque odiaba los estereotipos, con lo que Sara abortó en su cerebro, por solidaridad y empatía, la primera idea que había acudido a su mente, que era contárselo inmediatamente a sus amigas. Luego lo pensó mejor... ¡Pues claro que se lo iba a contar! ¡En cuanto pisase la escalerilla del tren! Y por eso tenía ese cuerpo, ya estaba claro. ¡Y qué cuerpo! Eso también se lo iba a contar.

Sara intentaba que fueran lo más rápido posible. Faltaban cuatro minutos. A él le parecía que quedaba una eternidad, que aún podían besarse una vez más. Iba muy serio, mientras ella tiraba de él hacia la consigna para sacar la maleta. Sara se subió al vagón en el último segundo mientras él le gritaba su número de teléfono. Se cerraron las puertas y Sara lo anotó allí mismo, en el descansillo, para no olvidarlo. Y fue lo último que hizo porque el móvil eligió ese mismo instante para apagarse, hasta una nueva recarga de batería.

Se sentó en su asiento aún sin creerse muy bien lo que acababa de pasar. Principalmente, por los sentimientos que le había despertado. No había tenido la sensación de estar con alguien desconocido. Desde el primer instante se había sentido tan cómoda y tan feliz que ahora, al recordarlo, volvía a temblar un poco.

Cerraba los ojos y recostaba la cabeza, como si pretendiese quedarse dormida, pero sólo estaba rememorando sus manos entre sus piernas, y todo lo demás.

Cuando llegó a Madrid ya era de noche. Estaba muy cansada y desde la cama puso un mensaje a sus amigas diciendo que había llegado bien y que al día siguiente las llamaría, que les iba a contar algo con lo que se iban a quedar de piedra. Dudó si debía llamar a Rubén, a lo mejor ya se había olvidado de ella. De hecho era lo más probable, pero había quedado en que volverían a hablar, y sin conocer él su número le sería imposible.

Optó por enviarle un mensaje por Whatsapp. No tenía foto en su perfil, qué pena. Escribió: «Hola. Soy Sara.» No sabía qué más poner, así que de momento decidió que era suficiente. Dos segundos después sonó el teléfono.

Le emocionó mucho oír su voz de nuevo. Estaba preocupadísimo. Había estado toda la tarde como un león enjaulado, le contó, esperando una llamada, un mensaje... ¡Algo! No se le había ocurrido la opción más simple, que se hubiera quedado sin batería. Estaba convencido de que había anotado el teléfono mal y de que ya la había perdido para siempre. Le decía que no podía ni pensar en esa opción, que había sentido algo muy especial, que había sentido magia, que aún no se lo podía creer.

Sara estaba tan sorprendida que no respondió inmediatamente y él le pidió disculpas. Dijo que a veces era muy romántico, ¿no le gustaba que fuera así y que le dijera lo que sentía de esa manera?

No, no, no..., por supuesto que le gustaba que fuera de esa forma, que le dijera lo que quisiera cuando quisiera. Le dijo que también ella había sentido la magia, que estaba confusa, que tampoco había podido pensar en otra cosa en toda la tarde, sólo en él.

Se dieron las buenas noches y colgaron el teléfono. Un instante después su teléfono se llenó de besos, corazones y más besos, junto a caritas enamoradas, que él le enviaba. Contestó igual. Estaba tan contenta que hubiera podido ponerse a dar saltitos por toda la habitación si las piernas se lo hubieran permitido. Se quedó dormida con una sonrisa, ojalá todos los días fueran así.

Al día siguiente se lo contó todo a sus amigas.

—¿Lo ves cómo el camino le da a cada uno lo que ha ido a buscar? ¿Lo ves? –le decían, partiéndose de la risa.

Sara tuvo que admitir que era cierto. Se sentía muy contenta de haber encontrado a ese chico encantador. Aunque la historia se quedase ahí, había estado muy bien, le había devuelto la alegría. Y además, en el fondo de su corazoncito estaba empezando a sentir... ese «algo» que conocía tan bien.

Rubén volvió a llamar esa misma tarde. ¿Cuándo iban a verse? ¿Seguía sintiendo la magia? Necesitaba estar con ella ya, no pensaba en otra cosa, soñaba con tenerla completamente desnuda entre sus brazos. Sara comenzaba a sentirse transportada.

Quedaron en verse en dos meses. Cuadraron agendas como pudieron a fin de pasar un fin de semana largo juntos: «Sólo dos meses para vernos, cariño» le decía. «¡Sólo dos meses!» Se decía Sara a sí misma ante el espejo.

Se miraba desnuda de arriba abajo. De frente, de perfil, y todo lo que podía de espaldas. Recordaba al milímetro todo lo que había visto de su cuerpo perfecto, y lo comparaba mentalmente con el suyo. Imaginó a ambos sin nada de ropa frente a ese mismo espejo. ¡Horror! Se tocó con un dedo por aquí y por allá. No estaba gorda, no estaba flaca, entraba en la categoría de normal, suponía ella. Claro, que quizás un poco más de pecho, un poco menos de muslo…

Intentó relajarse, comenzaba a ponerse muy nerviosa.

—«A él le ha gustado lo que ha visto», –le dijo amoroso el angelito de su hombro derecho.

—«¡Porque llevaba una falda hasta los pies!» apuntaba el diablillo puñetero del otro hombro.

—«¡Pero si le vio todo lo que se podía ver!».

—«¡Ja! De eso nada, te voy a hacer una lista de…».

Sara decidió cortar su monólogo interno por lo sano, o ganaría el diablillo como siempre. Tenía que afrontar la realidad. En dos meses justos iba a quedar con un tío que estaba terriblemente bueno y que, hubiera pensado lo que hubiera pensado en ese momento de calentón, esperaba encontrarse con una tía que estuviera terriblemente buena también. O al menos, que no pareciera un himno al trabajo sedentario y al bocata de panceta («¡Cállate, diablo!»).

Necesitaba apuntarse a un gimnasio inmediatamente. Sin perder un segundo. Mañana mismo empezaría la búsqueda. Casi todos los que conocía ofrecían una clase de prueba gratis, con lo que podía encontrar uno perfecto rápidamente. Al día siguiente eligió una de sus equipaciones seminuevas, la guardó en una bolsa de deporte nueva del todo y partió para el primero de su lista nada más salir del trabajo.

Se trataba de un gimnasio muy moderno, con unas máquinas que parecían cedidas por la NASA para algún experimento espacial. La hora a la que ella podía ir era, qué casualidad, la misma a la que podía ir todo el mundo. El gimnasio estaba situado en el centro de un área de oficinas, por lo que todos los elegantes ejecutivos que media hora antes salían de sus BMW con sus trajes de marca y el maletín en la mano, sudaban ahora como condenados a galeras sobre unas máquinas en las que subían montañas virtuales, corrían la Vuelta ciclista a España o intentaban elevar a pulso sus cuerpos colgando de barras como si fueran... Ay..., bomberos...

Una delgadísima guía-recepcionista se ofreció a mostrarle todas las magníficas instalaciones. Le enseñó la sala de *spinning*, en la que otros tantos y tantas ejecutivos y ejecutivas subían y bajaban de sus bicicletas a un ritmo endiablado mientras un monitor que sudaba aún más que ellos, se desgañitaba desde sus cascos sobre el sonido atronador de *hip-hop* que salía del equipo de música, recordándoles que no aflojaran, que estaban subiendo un puerto, que tenían que sufrir aún más, que le dieran otra vuelta completa a la jodida ruedecita de las marchas. Lo de «jodida» no lo decía, pero era lo que Sara pensaba que estarían pensando algunos.

La sala de zumba era igual de atronadora. En realidad estaba destinada a todo tipo de actividades, pero en ese momento había zumba. Unas cuarenta mujeres se movían graciosas y sensuales (algunas) al ritmo de la música. Parecía divertido pero Sara necesitaba algo que diera un resultado casi inmediato, y no creía que esos meneos sirvieran para algo más que para liberar endorfinas.

Se acordó de las clases de danza oriental a las que se apuntó una vez con Eva. Fue muy divertido y casi no se saltó ninguna sesión. El mismo día que llegó, al ver las lorzas de la profesora, comprendió que no era un ejercicio con el que perder grasas. La bailarina movía esas ingentes carnes con muchísimo arte, eso era cierto. Se lo pasaron muy bien. Y hasta Sara puso en práctica alguna vez sobre el caballero de turno alguno de los movimientos aprendidos, con bastante buen resultado.

El local estaba atestado de gente. Igual que los vestuarios femeninos, que también le enseñó. Decenas de mujeres en pelotas se vestían, desvestían, se secaban o se duchaban a la vez. Era un trasiego constante.

Sara le preguntó a la amable guía-recepcionista si las instalaciones siempre tenían esa cantidad de gente para cualquier actividad, hasta ir al baño, y le dijo que sí. Que precisamente a esa hora estaban a tope, que si pudiera ir a otra hora sería fantástico. Era el turno en el que los monitores estaban saturados. Claro, lo entendía perfectamente.

En la sala de *spinning* no quedaba ni una bici libre, y en alguno de los aparatos había cola. No podía ser. Ella no podía perder ni un solo día, y ese día en el que estaban ya contaba como uno.

Prefería mirar en otro sitio.

La tarde siguiente, con la misma equipación del día anterior sin usar, se dirigió a otro gimnasio de la zona. Había oído hablar bien de él. Era sólo para mujeres, con lo que no tendría que sufrir pensando «qué me pongo», y se encontraría mucho más relajada que en un gimnasio mixto. De eso estaba segura.

Antes de que la amable guía-recepcionista de turno le enseñase las instalaciones, prefirió preguntarle directamente por los horarios. ¿Era esa una buena hora para ir? Sobre todo teniendo en cuenta que era la única posible.

«Vaya, qué pena. Lamentablemente no». «La satisfacción de las clientas es tan importante que los grupos son cerrados y justo el de esa hora estaba lleno. «¿Qué tal el turno de las once de la noche? Ese tenía plazas libres».

Sara contestó a la amable chica que «Vaya, qué pena», pero que «a las once de la noche entre semana tenía la tonta costumbre, era así de rara, de dormir». Salió abatida. Otro día perdido. Ya no sabía dónde mirar.

Caminó unos pasos, hasta donde había aparcado el coche, y justo enfrente, al otro lado de la calle que separaba el barrio industrial y sus oficinas de una zona residencial muchísimo menos elegante... había un cartel que rezaba: Gimnasio Johnny.

Se encaminó hacia el «Johnny» con una ligera aprensión. El cartel que algún día debió de ser luminoso era rojo y tenía rota una esquina. Bajo el nombre, en negro, la silueta de un fornidísimo hombre que levantaba una pesa como las de circo antiguo. A unos metros del cartel se encontraba la puerta. Una ordinaria puerta metálica que nada tenía que ver con las glamurosas cristaleras automáticas de los otros locales y sus escalinatas de un blanco purísimo.

Tampoco sonaba música en su interior. Según se adentraba Sara por el pasillo lo único que se oía con absoluta claridad era el golpe de las pesas al ser depositadas contra el suelo. En la recepción había un chico bastante joven, casi totalmente rapado y, cosa curiosa, carente de cuello. O tal vez lo tenía, pero estaba tan enterrado entre la masa inmensa de sus hombros esculpidos que ni se notaba.

La miró con indiferencia primero, de arriba abajo después. Sara tuvo la sensación de que el chico esperaba que le fuera a intentar vender algo.

—Hola…, estoy buscando un gimnasio. Yo trabajo en esta zona y salgo más o menos a esta hora siempre. No sé si… me gustaría saber si… podría ver las instalaciones, si es que no tenéis grupos cerrados o algo así.

El chico le dijo con los ojos que se reiría si pudiera. Tal vez se había inyectado tantas cosas para estar tan inflado que no podía ni mover los labios.

—Tranquila —dijo con un pelín de sorna— aquí no hay grupos.

Salió de detrás de su mostrador y Sara se sorprendió al ver que efectivamente se había puesto de pie, ya que tenía casi la misma altura que sentado. Era realmente bajito, casi más ancho que largo.

Le siguió hasta una sala que parecía ser la única de todo el local. Estaba atestada de máquinas y de hombres. Sólo hombres. El chico bajito y sin cuello hizo una seña a otro que se encontraba en ese momento marcando algo en unas fichas. En su camiseta negra se leía «Entrenador». A Sara le pareció estar ante *Geyperman*. Llevaba el pelo rubio recogido en una pequeña coleta, la barba también rubia, muy bien recortada y los músculos de todo el cuerpo tan marcados que parecían de mentira.

Se presentó como Salva y exhibió una preciosa sonrisa perfecta. Era bastante alto, y sus hombros tan anchos que a Sara le nació un sudorcillo de la nuca. Sara le dijo que había estado viendo otros gimnasios pero que no le habían convencido. No era cierto, pero nadie quiere ser segundo plato, por bueno que esté el filete.

Salva sonrió, le dijo que ese gimnasio no era como los demás de la zona. Desde luego no lo era. El local era cinco veces menor que cualquiera de los que conocía, todo se reducía a un espacio de máquinas y pesas y…, sólo había hombres.

Hombres musculosos exhibiendo todo su poderío con ropa apretadísima, tirando de las máquinas y de los hierros como si en ellos les fuera la vida. La miraban todos sin reparo ninguno. Llevaba ya tal sobo visual que tembló por un momento al imaginarse allí vestida, con sus mallas y su camiseta rosa, también muy ajustadas.

—Aquí no hay clases, —seguía Salva— la mayoría de la gente que entrena aquí lo necesita para su trabajo.

—¿Preparan la segunda parte de *Gladiator*? —se le escapó.

Se ruborizó hasta las orejas pero ya era tarde. Había verbalizado su pensamiento jocoso porque estaba embobada con el espectáculo.

Salva se rio tan fuerte que todos se volvieron de nuevo para mirarles.

—No, no… Me refiero a que la mayoría se entrenan para presentarse a las pruebas de bombero o de policía, o para preparase para los campeonatos de culturismo. Tenemos algún premio nacional entre nosotros —dijo orgulloso—. Mira, ella es uno de nuestras campeonas. ¡Hola Mónica!

—Hola, Salva, ¿cómo te va? —dijo la chica que acababa de entrar, al pasar a su lado.

Sara la miró admirada. Era muy morena, con el pelo negro muy corto, y su cuerpo delgadísimo exhibía la mayor cantidad de músculo cincelado que ella había visto jamás en una mujer. Saludó a todo el mundo efusivamente. Eran a todas luces un club de amigos.

—Lo que quiero decir —continuó él— es que aquí nos comprometemos contigo a que vas a obtener los resultados que buscas y a que vas a tener el cuerpo que deseas tener, pero vamos a ser estrictos. ¿Cuál es tu objetivo, Sara?

—Oh, pues… quiero moldear mi cuerpo, claro. No como para dedicarme al culturismo, pero… me he dado un plazo de dos meses.

Le pareció que esa era una respuesta acertada. «Dejar loco a un tío que está tan bueno como tú», no parecía serio.

—Entonces ¡al ataque!

La palabra «estricto» resultó ser un eufemismo para el entrenamiento que su nuevo entrenador le diseñó específicamente para ella. Debía acudir los cinco días de la semana laboral sin perder ninguno. No era lo normal para alguien sin ningún entreno previo, le dijo, pero dos meses no eran nada.

—Tú sabrás lo que pasa de aquí a sesenta días —Le guiñó un ojo—. Pero si es tan importante para ti, esto es lo que necesitas.

Sara omitió un «¡Ay, si tú supieras!», sobre todo porque Salva le había hablado colocando una de sus grandes manos en su hombro y le había cortado la respiración.

La primera semana tuvo el dudoso honor de ser catalogada como *horribilis* en la lista de semanas de su vida. No había músculo, trozo de piel o de pelo que no le doliera. El primer día salió del local pletórica de energía, cansada y un poco dolorida, pero feliz. A la mañana siguiente no podía levantarse de la cama. Pero todo estaba convenientemente calculado ya que Salva, sabiendo que no iba a poder ni doblar las piernas, había preparado entrenamiento de brazos.

El resto de compañeros se mostraban siempre solícitos con ella, amables y simpáticos, ayudándola en lo que podían. Sara descansaba entre ejercicio y ejercicio, secándose el sudor de la frente y contemplando con admiración no disimulada cómo subían por unas cuerdas altísimas hasta el techo a velocidad endiablada con el único impulso de sus brazos, o cómo levantaban unas barras de hierro con pesas gigantescas a los lados, sobre sus cabezas, tumbados sobre un banco con las piernas abiertas. A veces el esfuerzo era tan inmenso que se turnaban para echarse una mano unos a otros con la pesadísima barra. Esas visiones le tenían a Sara la mente tan caldeada que no podía pensar en otra cosa.

A ello se sumaba que Rubén seguía manteniendo la llama encendida y nunca bajaba la guardia. Quedaron en no perder el contacto, de forma que llegara el esperado día con las ganas intactas de verse y luego después, ya se vería. Le enviaba unos mensajes tan ardientes que no pocos días tuvieron que terminar llamándose para terminar de satisfacerse. Recibía a cualquier hora de la mañana o de la tarde un «Me estoy masturbando pensando en ti. Te deseo. ¿Te puedo llamar ahora?».

Hacer el amor con él por teléfono era para Sara una experiencia maravillosa. Si era así en la distancia, si había conseguido complacerla tanto en el cortísimo tiempo que habían estado juntos, cómo no sería tenerle para ella entero de verdad. Sara no estaba con nadie en ese momento, y las ardientes conversaciones con Rubén, unidas a la exhibición de hombres de cuerpos divinos con los que se regocijaba la vista cada día, la tenían en un estado de sexualidad no completamente satisfecha que la estaba volviendo loca.

Acudía alegre todos los días a su cita con el gimnasio por el motivo no confesado de ver a Salva. No sólo era escultural y guapo de cara. La trataba con firmeza para que no olvidara cuál era su objetivo, sin dejarle flaquear, pero también con cariño. Le contaba anécdotas para que las repeticiones de ejercicios no se le hicieran tan pesadas y estaba siempre pendiente de ella. Muchas veces le veía mirándola, mientras ayudaba a entrenar a otras personas, y Sara notaba crecer su excitación sólo por eso. Él mantenía una actitud de cálida confraternización pero no se excedía ni un milímetro. Sara suponía que esa era su forma de ser con todas las clientas.

Pasaron dos semanas y empezó a notar que su cuerpo estaba ya en el buen camino. El viernes había dedicado más tiempo del estipulado al entrenamiento, y necesitaba relajarse.

El gimnasio contaba con un vestuario para chicas, con sus duchas y una pequeña sauna. Salva le contó que esa la tenían casi siempre apagada porque las pocas mujeres que acudían a ese centro no tenían la costumbre de usarla, sino que se solían ir tal cual a sus casas, a ducharse y relajarse allí. Sara había pedido al chico de la recepción, que resultó ser encantador cuando se le conocía bien, que se la encendiese ese día. Se había ganado un pequeño homenaje.

Se dio una ducha calentita y luego otra más fresca y aún húmeda se metió en la sauna. Las instrucciones decían que se secara antes, pero ella lo prefería así. El espacio era pequeño, nada más abrir la puerta se encontraba el primer asiento de la fila de tres que había, pero los bancos eran amplios y anchos, más que en otros sitios.

Le dio la vuelta al pequeño reloj de arena y se quitó la toalla, extendiéndola debajo de su cuerpo, para estar más cómoda. El calor no era excesivo, quizás no había avisado con suficiente antelación, pero no le importaba. Lo que quería era relajarse, no cocerse. Así estaba bien.

Con los ojos cerrados, se sentía en el paraíso. Respiraba pausadamente. Como estaba sola se permitió el lujo de subir la pierna derecha sobre el otro banco inmediatamente por encima. Qué sensación tan liberadora. La tensión sexual que llevaba sintiendo tanto tiempo no se resolvía, sino que se iba acrecentando por días, por momentos. Comenzó a sentir que el calor que notaba en la piel venía tanto de fuera como de dentro. Se estaba abandonando a sus ensoñaciones eróticas y a punto de empezar a acariciarse cuando en ese mismo instante oyó que la puerta se abría lentamente. «¡Mierda!, ¡Mónica!», pensó. No la había visto llegar esa tarde y tampoco había escuchado el ruido de la ducha. Bajó la pierna, para que pudiera subir al segundo banco y abrió los ojos resignada para saludarla.

Salva la miraba desde justo encima de ella. Estaba recién duchado, el pelo largo suelto le rozaba los hombros. «Señor, qué belleza de hombre. Parece Thor, el dios del trueno, sólo le falta el martillo», pensó Sara. Un segundo después comprobó que no, que el martillo también parecía llevarlo, pero no en las manos, sino debajo de la pequeña toalla que anudaba en su cintura. Seguía mirándola en silencio.

—No sabía que las saunas fueran mixtas —acertó a decir Sara con una sonrisa, cuando el golpeteo del corazón le dejó hablar.

—No… no lo son. Pero pueden serlo, si tú quieres.

Salva se sentó a sus pies. «Dios mío, desnudo es aún infinitamente mejor». Era la escultura griega más increíble que Sara hubiera visto jamás.

—Sólo he venido a ver qué tal estás, hoy te he dedicado menos tiempo del que hubiera querido…, espero no haber sido demasiado duro contigo estos días.

Su voz varonil retumbaba en el espacio cerrado de la sauna, que para Sara había multiplicado por mil su temperatura en los últimos minutos. Decidió no dejarse vencer por la situación y disfrutarla al máximo, hasta donde llegara lo que fuera que iba a ocurrir.

—Qué va, eres un entrenador perfecto. Estoy un poco dolorida, pero eso es lo normal, ¿no? A eso vengo aquí.

—¿A sufrir? Nooo. Debes ver tus tardes en el gimnasio no como una tortura, sino como un placer. ¿Qué es lo que te duele?

Sara aún no tenía el juego cien por cien claro. Decidió ser prudente, por muy desnuda que estuviera. No quería arriesgarse.

—Los gemelos, sobre todo.

Thor, o sea, Salva, colocó cada una de sus manos sobre las pantorrillas de Sara que a duras penas evitó un gemido a su contacto. Le dio un suave y experto masaje, mientras los ojos de él vagaban por el cuerpo de ella, en especial por la zona que vio en primera plana nada más entrar y que ahora se le ocultaba.

—¿Y los abductores?... ¿No te duelen un poco los abductores?

—Si, claro… los abductores están también bastante mal.

—Vaya… entonces es mejor hacer las cosas bien… era mejor la postura que tenías antes para esta tarea.

Le subió la pierna al banco en el que la tenía antes. Suspiró. Se quitó la toalla y se sentó sobre ella. Ya estaba desnudo del todo. Sara estuvo a punto de diluirse de gusto entre las maderas de su improvisado lecho.

—Bueno, te pones cómodo… ¿Temes que sea una labor muy complicada?

Sus manos subían y bajaban por sus muslos, sus ojos concentrados en la abertura que ahora se ofrecía entera a sus ojos.

—Estas cosas hay que hacerlas bien, princesa… ¿los abdominales?...

—Fatal…, muy, muy mal…

Sara estaba en pleno éxtasis. Las manos de Salva presionaban con suavidad todo su vientre, la cintura, daban forma a sus caderas…

—Del pectoral ni hablamos ¿no?

—Bufff… ese es el que peor está.

Las manos de Salva en sus pechos la hicieron gemir. Tuvo que contenerse para no bajar la cabeza y meterse uno de sus dedos en la boca. Estaban jugando y no quería que el juego terminase tan pronto.

Dio por sentado que también sus hombros y sus brazos necesitaban ayuda, y los acarició y amasó con delicadeza sin dejar de mirarla, hasta las palmas de las manos.

—Hemos sobrepasado el tiempo aquí, tenemos que ducharnos. Ven.

La ayudó a levantarse con cuidado y salieron de la mano. El vestuario estaba vacío. Estaban maravillosamente solos.

El agua fría les hizo dar un grito a los dos. Sara aprovechó para tocarle entero, por primera vez. Se llenó las manos de jabón y le recorrió cada centímetro del cuerpo. Él la miraba tan intensamente que Sara creyó que acabaría perdiendo el sentido.

—A la sauna otra vez. No hemos terminado aún.

—¿Ah no? — ¿y qué nos queda?

Salva cerró la puerta de madera tras de ellos y colocando ambas toallas en uno de los bancos la guio para que se pusiera de rodillas sobre ellas, con él detrás.

—Espalda y glúteos… por supuesto.

Sara quería chillar de gusto, sus fuertes manos le recorrían la espalda, haciendo círculos, con ligeros pellizcos, también en sus nalgas. Las movía, tenía todo a su vista, le acariciaba las caderas como si la fuera a penetrar, estaba justo a la altura apropiada, pero no lo hacía. Sara seguía el juego a duras penas, necesitaba ya pasar a la acción, estaba tan mojada por dentro que iba a escurrirse en cualquier momento, pensaba.

—Puedes estar muy orgullosa de estos glúteos –le decía, sosteniéndolos y apretándolos con las manos–. Pero soy consciente de que no hemos entrenado todos tus músculos. Hay uno en concreto muy importante.

Sara volvió la cabeza para mirarle, pícara. «¿Qué músculo podía ser ese?».

El dedo de Salva se introdujo en su vagina, despacio.

—Este. Aprieta y suelta, hazlo varias veces. Ahora.

Sara gemía ahora abiertamente, mientras hacía lo que le pedía. Aún más cuando sintió dos dedos dentro de ella.

—Guau…, este no necesita casi entrenamiento…, de todas formas… –Su voz sonaba entrecortada– probemos si se le puede exigir aún más rendimiento.

La penetró lentamente, y se quedó quieto. Sara siguió apretando y soltando, mientras sus entrañas literalmente ardían. Salva gemía a su espalda y le clavaba los dedos en la cintura con fuerza. Sara sintió llegar el orgasmo como una liberación a la tensión acumulada.

Salió de ella y se sentó en el banco, ayudándola a subirse encima de él, ambos sentados cara a cara. Se besaron. Era la primera vez que lo hacían. Sus besos eran muy dulces, sabía maravillosamente salado. Volvió a clavarse su miembro, hasta el fondo, gimiendo y gritando de nuevo. Apoyó los pies en el banco en el que él se sentaba y con la ayuda de sus manos en las nalgas comenzó a subir y a bajar, cada vez más rápidamente, atenta al vidrio de sus ojos azules clavados en ella hasta que se cerraron para sentir más profundamente la corriente de placer que ella era testigo de cómo le estaba recorriendo. La inundó por dentro.

Siguieron abrazados, pegados el uno al otro.

—¿Y bien?... ¿Qué te parece entonces el entrenamiento? ¿Satisfecha?

—Muy satisfecha –Sara se reía mientras le mordisqueaba la oreja.

—¿Crees que con estas sesiones estarás lista para cumplir tu objetivo de los dos meses?

Él le cogía la cara con las manos y le besaba la boca, la nariz…

—Voy a estar preparadísima, ya lo verás. –Le acarició el pelo, divertida– Este es el mejor entrenamiento posible. Venga, necesitamos otra ducha fría.

8
Eva y el amor por internet
ॐ

Era viernes por la tarde, y Eva no se lo podía creer. ¡Se iba a quedar en casa ya sin remisión si no conseguía encontrar a alguien con quien salir aquella noche! Sara estaba en la playa con un chico nuevo, alguien de un gimnasio, le había dicho, así como aparentemente el resto de la población femenina conocida, excepto ella. Ya era mayo, y pasados los fríos del invierno el sol había hecho acto de presencia a lo grande, como una *vedette* emplumada escaleras abajo, toda exhibición de rayos y relumbre.

La ciudad entera, calculaba, había hecho un atillo imprescindible y había salido en masa hacia la costa, cada uno en una dirección, dejándola a ella en mitad de la Gran Vía, con la única compañía de las balas de paja y polvo rodando a su alrededor, como en los *westerns*. «¡Exagerada!» le gritó Sara por escrito desde el WhatsApp cuando le contó eso mismo junto al muñequito que llora amargamente. «¡Ya encontrarás a alguien!»... (Carita que guiña el ojo)... «¡Menuda eres tú!»... (Carita de diablo que también guiña el ojo)... «¡Haz como Laura, busca en internet!».... (Manita con pulgar hacia arriba)... «¡Cuelgo, que vamos en el coche y me mareo»! ...(sin carita).

Claro, pensó Eva. ¿Cómo no se le había ocurrido antes?... una de sus amigas, Laura, y no era la única, llevaba meses disfrutando de sexo imparable gracias a una página web en la que no tenías más que registrarte, colgar un par de fotos, y colocar la red para los peces.

Ninguna de las amigas podía llevar la cuenta de la lista de hombres que Laura había conocido. Los usaba y los tiraba como un clínex, y los había de múltiples colores, cultura y condición. Todas habían oído hablar sobre alguien que había conocido así al amor de su vida y que llevaba un montón de años de relación exclusiva y romántica, pero ya tenían la certeza de que sólo era un mito urbano.

Gracias al perfil de un amigo, entraron un día a ver cómo eran las otras mujeres en aquella página y quedaron bastante noqueadas. Esculturales muchachas de diecinueve años se exhibían en aquél mercadillo virtual apretando el pecho medio desnudo entre los brazos en pose de «¡melones vendo!» y poniendo morritos de besugo de acuario ante la cámara.

Decidieron por unanimidad que la competencia no sería un obstáculo y descubrieron que efectivamente, no lo era. Aquello parecía ser un hervidero de citas múltiples, cuernos varios y amores de prestado en el que desde luego mucha gente lo pasaba bien.

Eva dudó y dudó un largo rato, frente a la pantalla abierta del portátil. Aquello de no conocer de nada a la otra persona no le hacía demasiada gracia, así en principio. Algunas de sus amigas se habían encontrado con que el hombre con el que habían quedado no se parecía ni remotamente a aquél que figuraba en las fotos.

Además, temía ser reconocida por alguien de la agencia y no quería eso por nada del mundo. Fuera de su pequeño grupo de hedonistas, el ambiente era muy machista, serio y formal. No quería exponerse a críticas innecesarias.

Pensó que también había una opción intermedia. Podría entrar sin colgar foto. Sin detalles, sólo un par de datos y punto, que era mujer y poco más, para ver qué había.

Decidida a pasar la tarde al menos viendo hombres guapos comenzó a crearse un perfil. Por abreviar y casi sin leer lo que ponía le marcó un sí a todo, se puso de nombre *BlueVelvet* y en menos de cinco minutos ya estaba dentro. Seleccionó para ver una horquilla de edad de hombres de su ciudad y esperó a que la riada de fotografías se desplegase ante sus ojos.

Ignoró a aquellos que no tenían foto, deteniéndose en aquellos que exhibían músculo sin camiseta y sin rubor, algunos en poses de lo más sugerentes y que decían ser bomberos, atletas, o entrenadores de delfines.

Los había guapísimos, y dudaba entre hacer una previa selección de personal o liarse a enviar mensajes a todos los más apetecibles cuando en su perfil entró una carta.

La enviaba «Miércoles», y era una mujer muy pálida y con el pelo muy negro, que miraba con una sonrisa perversa bajo un flequillo recto y abundante. Los ojos ahumados y los labios nude sobre la piel tan blanca le daban el aspecto fantasmal y comprendió el seudónimo. La hija de la familia Addams había crecido, era evidente. El mensaje decía «Hola, cielo, ¿quieres hablar?».

Eva se cruzó de brazos ante la pantalla, divertida, intentando comprender por qué le escribía una mujer. Le contestó con un «Claro, hola Miércoles», mientras echaba un vistazo en su perfil. Había marcado expresamente, al decir que sí a todo, que buscaba tanto hombres como mujeres, y relaciones de cualquier tipo. Eva se partía de risa, estas situaciones eran típicas de ella. Parpadeaba ya otro mensaje.

«Mándame una foto, anda, que no es justo que yo no pueda verte». Eva mandó una sin pensárselo. Era muy fotogénica, todo el mundo lo decía, así que cualquiera estaría bien. La respuesta tardó sólo unos segundos, le decía que qué bonita era. Eva no quiso engañarla, no le apetecía tener una relación con una chica, ni darle falsas esperanzas. Quizás ella buscaba una novia, una esposa o similar, y ella no podía ofrecer eso, así que era mejor decirlo pronto, que había tenido relaciones con mujeres, pero que no era lo que buscaba en ese momento.

A Miércoles no pareció importarle. Le dijo que de hecho ella era bisexual, y que podían igualmente ser amigas. Ninguna de las dos había podido escapar de la ciudad ese fin de semana. Miércoles cuidaba de sus hijos esos días, le contó, por lo que ese rato de tecleo era su diversión disponible.

Hablaron mucho tiempo, Miércoles llevaba la conversación al sexo todo el tiempo y Eva la secundaba encantada. Su nueva amiga llevaba ya varios meses frecuentando ese tipo de páginas, y tenía perfil en casi todas ellas. Había conocido hombres fascinantes, y otros que eran unos verdaderos capullos. Algunos de ellos se jactaban de seducir a las mujeres y de abandonarlas al día siguiente de conseguir llevarlas a la cama. Jugaban a coleccionar amores esporádicos como el que colecciona sellos y los guarda de cualquier forma en una caja. Miércoles le contó que con alguno de ellos volvió a cruzarse por casualidad tiempo después en un centro comercial o en una fiesta, y lo divertido que era ver la cara que se les quedaba cuando comprobaban que la que no recordaba ni sus nombres ni exactamente de qué cita le estaban hablando, era ella.

Hablaron de los intercambios de pareja. Eva nunca lo había intentado pero lo que le narraba Miércoles le estaba produciendo un intenso vapor de deseo.

Le contó que había conocido a un hombre con el que congenió a la perfección desde el primer momento que se vieron. Que fue tan grande la pasión que sintieron que no tuvieron más remedio que meterse en el primer hotel que encontraron para poder desahogarse a gusto. Se vieron varias veces y siempre era igual de intenso, a los dos les gustaba jugar y experimentar con cosas nuevas. Un día le propuso ir a un local de intercambio de parejas y Miércoles aceptó encantada.

El local era un bar de apariencia normal, con las palabras Club Privado en la puerta. En la entrada se dejaban los abrigos y los bolsos, junto a un amable muchacho encargado de su custodia, y se pasaba a los vestuarios. Una vez allí, guardó toda su ropa en una taquilla y salió envuelta en una de las inmaculadas batas de raso negro que estaban a su disposición. En la puerta le esperaba su amigo, que ya conocía el local y ni se había molestado en ponerse la bata. Entraron directamente en una gran sala, tenuemente iluminada.

Miércoles, con todo lujo de detalles, relató a Eva cómo se había estremecido al contemplar la mayor orgía a la que hubo asistido jamás. Por las cheslones, por las alfombras, sobre los cojines, hombres y mujeres desnudos se besaban, se acariciaban y se penetraban de todas las formas imaginables. Preciosas bomboneras llenas de chocolates y de preservativos de colores adornaban las esquinas y el centro de la habitación.

Miércoles se había dejado tocar, acariciar e inspeccionar por un par de chicos muy jóvenes que parecía que hubieran salido de la nada. El lugar estaba en una penumbra a la que los ojos tardaban en acostumbrarse y en el aire fluía continuamente un perfume embriagador que ella imaginaba que servía para tapar los olores propios de aquella humanidad lujuriosamente reunida.

A Eva le estaban temblando las rodillas con el relato de aquellos dos efebos dedicados al placer exclusivo de su nueva amiga. Le contaba cómo había momentos en los que, penetrada lentamente por uno o por los dos chicos, aún llegaba algún otro que al pasar por su lado la besaba, o le acariciaba un pecho o le lamía los dedos de los pies.

Una pareja que entró después, oyó Miércoles, se había hecho la promesa mutua de disfrutar de aquella noche previa a su boda, pero jurando no penetrar ni dejarse penetrar por nadie. Sólo roces y caricias. Miércoles les buscaba con los ojos a veces, en medio de su modorra de éxtasis continuo, por curiosidad, para ver qué tal les iba.

Se encontró con el chico después, cuando ella se había cruzado la sala para refrescarse y beber un poco de agua. Se dejó tocar, acariciar, besar mientras le escuchaba decir lo guapa que era, que era la mujer más apetecible de todo el local y el deseo loco que le estaba produciendo desde que la había visto al entrar. Le rogaba que se lo hiciera con la boca. Miércoles, divertida, se negó. Le preguntó si estaba seguro de que no quería penetrarla, que sabía que eso era lo que quería hacer, que por qué retener ese deseo, mientras le abrazaba y le frotaba el miembro como una barra de acero entre sus muslos.

Él no pudo más y empujándola al suelo le abrió las piernas. Hacía muchísimo tiempo que Miércoles no había sentido nada tan increíblemente duro en su interior, era la prueba de su deseo enloquecido. Le causó un placer inimaginable y sintió cómo él llegaba a un paroxismo que le dejó inerte durante un rato.

Eva se preguntaba si la novia les habría visto. Evidentemente, claro. La novia había sido testigo, y caminando hacia atrás y con los ojos fijos en su chico, Miércoles la vio desaparecer tras una cortina negra. La siguió. Era un pequeño habitáculo cilíndrico, de pared finísima, como de terciopelo grueso negro. En su interior, una barra circular a la altura de la cintura, acolchada de seda roja, como la barra de un bar en la que no había nada dentro. Tras volver a acomodar la vista a la oscuridad, Miércoles se dio cuenta de que en la improvisada pared había una serie de agujeros alrededor. Dos mujeres, una de ellas la novia o quizás ya exnovia de su último amante, ofrecían sus traseros, abiertas de piernas, a esos agujeros, mientras se apoyaban en la barra. Casi inmediatamente un pene aparecía y penetraba por el orificio de la tela y por aquellos que las dos mujeres ofrecían. Miércoles estaba fascinada. Aún le dolía un poco por las dos horas de amor que llevaba desde que había entrado en aquel lugar pero no pudo evitar de ninguna forma probar también aquello. Se colocó delante de un agujero en la misma posición que las otras y apenas dos segundos después se sintió penetrada, primero un poco, unos centímetros, luego hasta el fondo, con una energía increíble y demoledora. No sabía quién era, ni cómo era su cara, no conocía de ese hombre a su espalda más que la dureza de su miembro y su empuje. Cuando se fue de allí, tras descansar un rato en la penumbra, pasó rozando a la novia de su apasionado amante, que en ese momento llevaba ya tres desconocidos a sus espaldas, y que estaba disfrutando hasta el último segundo de su venganza.

Se fue de allí sin esperar a su amigo, estaba cansadísima. Vio cómo el novio buscaba a la chica con una patética carita de preocupación que le hizo reír a carcajadas.

Todavía se reía al recordarlo. Eva estaba disfrutando muchísimo de la conversación y le reconoció que no, que nunca había entrado en un local de aquellos, pero que si ella quería un día podían ir juntas.

A Miércoles la idea le pareció tan buena que le propuso un intercambio en ese mismo momento. ¿Tenía Eva algún amante que le pudiera prestar para la noche del sábado? Alguien que a ella le gustase especialmente y que se pudiera recomendar a una amiga. Ella a su vez le propondría a uno de los suyos. Eva aceptó. Además, ya tenía en mente al hombre adecuado. Quedaron en volver a conectarse pasados unos minutos, después de que cada una de ellas hubiera hablado con el hombre respectivo y le hubiera propuesto el trato al que habían llegado.

Eva llamó a Manuel, uno de sus chicos favoritos. Tenía una potencia increíble, pese a no ser ya un niño y unos niveles de perversión considerables, si su pareja se prestaba a ellos. A él le pareció una idea tan maravillosa que le dijo que sin dudarlo se volvería al día siguiente del pueblo en la montaña al que había ido a hacer alpinismo, sólo para esto. Que podía contar con su presencia, como siempre.

Eva se conectó de nuevo y ya el perfil de Miércoles aparecía como disponible. Le dijo que su amigo había aceptado y que estaba segura de que le iba a encantar, que eso sí, no le dejara marcas. Era la única condición que imponía siempre Manuel, Eva nunca le preguntó por qué.

Miércoles le dijo divertida que ella también tenía ya a su chico disponible, que se llamaba Oscar y que le había conocido en esa misma página meses antes, ya se contarían qué tal. Intercambiaron los teléfonos de ellos y quedaron en hablar algún día después. También le dio el apodo de Oscar para buscarle en la página web. Era simple. «Óscar» y un par de números detrás.

Eva tecleó su nombre y le vio conectado. Se levantó y fue a la cocina, se preparó un sándwich y un té frío, por si la conversación resultaba ser larga.

Óscar, igual que ella, no tenía fotografía en su perfil. Sólo que no fumaba pero no le importaba el humo, que no tenía hijos ni pensaba en tenerlos, que se dedicaba a una actividad por su cuenta, y su nivel de estudios, universitario. Y que buscaba relaciones de cualquier tipo.

Eva le puso un mensaje, «Hola, estoy buscando un Óscar, no sé si eres tú». «Pues enhorabuena, pequeña, ¡esto es Hollywood!» Eva se reía. Ya sabía al menos que tenía sentido del humor. «Sí, no te has equivocado, soy tu premio de intercambio para hoy, ¿cómo estás?».

Eva le propuso pasar al teléfono, pero él dijo que no. Que le producía mucha emoción hablar sólo vía mensajes, que si no le importaba. Eva dijo que no, no le importaba. Le preguntó si quería una foto y él contestó que no, que no le enviara nada y que no le dijera cómo era. Que de hecho, Miércoles le había dicho que era muy guapa, pero que se había alegrado al ver que en el perfil no había fotografías, ni color de pelo, ni altura, ni nada, que lo prefería así. Le gustaban las sorpresas. Y en cuanto a él, no quería tampoco darle datos, ni enviarle fotos. ¿Le parecía a ella muy mal ? Eva le dijo que no tenía importancia, le daba igual.

Lo que Oscar le pedía saber era mucho más íntimo. Quería saber las cosas que había probado y las que no, qué le solía hacer y lo que más le gustaba. Eva estaba muy excitada y no conseguía imaginarle. Se dejaba fluir en la conversación, que era cada vez más caliente, más intensa. Oscar le preguntaba si se estaba tocando. Le pidió que no lo hiciera, que se quedara así, como estaba, que no saciara nada porque él quería verla ya, esa misma noche. ¿Estaría dispuesta? ¿Le invitaría a pasar la noche, sin esperar al día siguiente? ¿Para qué alargarlo? Le preguntó si tenía alguna fantasía sexual que quisiera ver cumplida. Eva dudó un poco antes de responder. Sinceramente, no. Había hecho muchas cosas, en ese momento no se le ocurría nada especial que necesitase. Todo iba muy rápido. ¿Ya se iban a conocer?

Él seguía a lo suyo. Los mensajes entraban uno tras otro, sin parar. Le contaba que él sí tenía una fantasía incumplida desde hacía muchísimo tiempo por culpa del exhibicionismo atroz que padecía ahora todo el mundo, y la creciente obsesión de fotografiarse en todos los momentos más burdos de la vida.

Su fantasía era la siguiente: él entra en contacto con una mujer a la que no conoce de nada, de quien no sabe nada. Con esa mujer llegaría a un pacto. Quedarían en su casa, en la de ella, sin verse antes, sin saber absolutamente nada el uno del otro. El avisaría de su llegada con una llamada perdida, y cuando estuviera a menos de un minuto, ella dejaría la puerta abierta. Toda la casa estaría en penumbra y él la buscaría por la casa hasta encontrarla. Ella le estaría esperando desnuda, con las piernas abiertas, en la oscuridad, y el primer contacto se establecería entre el pubis de ella y la boca de él. Sin hablarse, sin oírse la voz siquiera. Llevaba años soñando con encontrar una mujer con la que el primer contacto fuera el sabor de su vulva y de sus labios secretos. ¿Y si fuese ella esa mujer? ¿Aceptaría cumplir ese deseo suyo? ¿No sería también excitante para ella?... BlueVelvet, ¿sigues ahí?...

Eva se había quedado en silencio, leyendo sólo. No sabía qué decirle. Por una parte el plan sonaba excitante, por otra... ¡No le conocía en absoluto!

Él reaccionó con presteza. Le dijo que entendía que dudara, que podían hacer algo..., que se lo pensara, que él de todas formas podía ir, sin saber aún si ella se iba a plegar a su fantasía o no. Le mandaría el mensaje cuando estuviera a un minuto de la casa. Si al llegar la puerta estuviera cerrada, él llamaría y podrían conocerse formalmente, tomar algo, o al menos saludarse. Si al llegar la puerta estuviera abierta..., significaría que ella le esperaba ya en su habitación.

Eva aceptó, aún un poco aturdida. Le preguntó más o menos en cuánto tiempo llegaría. «En media hora».

Eva pasó todo ese tiempo dando vueltas por la casa. Le daban ganas de llamar a Sara y de contárselo, pero ya se imaginaba que pondría el grito en el cielo, que le preguntaría que si estaba loca, que no le conocía de nada, que ninguna de ellas le había visto, que ni siquiera conocía a la chica de la página de internet.

Veinte minutos. Era una locura. Además... ¿y si era muy feo? Ni siquiera sabía su edad, ni su nombre completo... ¿Por qué no había colgado fotos en la web, ni ningún dato? Bueno, al fin y al cabo ella tampoco lo había hecho. Lo mejor era esperarle vestida, abrirle la puerta y dejarle entrar o no, según la sensación que le diera en el momento. Lo sentía pero era la fantasía de él, no la de ella.

Diez minutos. Claro que a lo mejor tampoco era tan malo. A Miércoles sí la había conocido y habían hablado, y tenía un perfil público en la página. Y ella le había dicho que en la cama era estupendo, se lo había recomendado especialmente. ¿Por qué no lanzarse a tener esta aventura? Todo sonaba tan excitante que cuando imaginaba la escena sentía que se humedecía.

Tres minutos. Se arrancó la ropa y la dejó de cualquier manera por el vestidor. Se tiró en la cama mientras el corazón le latía a mil por hora. No se había dado cuenta de ducharse. Pasaron un par de minutos y comenzó a sentirse estúpida. ¿Y si era una broma? O peor aún, ¿y si era un ladrón y estaba compinchado con la chica? El latir del corazón no le dejaba ya ni oír sus propios pensamientos.

Sonó el teléfono y dio tal bote que se le cortó la respiración. Corrió hacia la puerta y la dejó entreabierta. Apagó todas las luces, cerró todas las habitaciones y dejó encendida una pequeña luz de un baño, que iluminaba algo el largo pasillo que acababa directo en su habitación, la única con la puerta abierta.

Se arrojó en la cama boca arriba. Se sintió vulnerable y se dio la vuelta. Oyó unos pasos en la entrada. El cuarto estaba muy oscuro, se giró de nuevo, intentando relajarse. Ya no había solución. La puerta se había cerrado y los pasos, cautelosos, se oían perfectamente avanzando despacio. Claro, no conocía la casa. Eva oyó cómo una chaqueta caía en el pasillo. «Se está desnudando», pensó. Cerró los ojos con fuerza y contuvo la respiración.

La habitación estaba en una oscuridad casi absoluta y ella se cubría el rostro con uno de los brazos. Notó cómo palpaba la cama, avanzando lentamente hasta que encontró uno de sus finos pies. Luego el otro, a más distancia, como había pedido. Le oyó suspirar. Sintió la suavidad de su caricia en los tobillos y luego los dedos que subían por el interior de sus piernas hasta que se juntaron en el centro, en el objetivo con el que llevaba tanto tiempo soñando. Lo siguiente que sintió fue ya su lengua, y sus labios golosos, que le arrancaron gemidos de placer durante un tiempo interminable en el que Eva se retorcía y gritaba. En ese momento le daba exactamente igual saber quién era él, ni cómo, ni nada en absoluto.

Dejó que le diera la vuelta y él siguió con su labor, arriba y abajo, hasta que con cuidado y aún de espaldas, la penetró. Con urgencia y con los labios en su pelo y en su oído, hasta que los dos llegaron a un orgasmo casi simultáneo que a ella le sorprendió.

Quedaron callados un minuto, recuperándose, y Eva encendió una diminuta lamparita de la mesilla a su lado. Óscar la estaba mirando, como si acabara de presenciar un milagro.

Cogió la cara de Eva con una mano y la acarició como si fuera una porcelana de alguna dinastía china antiquísima. Realmente la miraba embobado y a ella la situación le divertía. Era atractivo. No el hombre más guapo que podía encontrarse por la calle pero no era feo. Tenía una bonita nariz y unos labios sensuales. También tenía un buen cuerpo, ella ya lo había notado, y los brazos musculados ligeramente. Le había causado muy buena impresión. Menos mal, porque tampoco había calculado lo que sería estar ahora en esa situación con un tipo que le hubiese horrorizado.

—Muchas gracias –le dijo él. Tenía una voz muy varonil. Otro punto a favor–. Esta es la noche más feliz de mi vida. No sólo he cumplido mi sueño…, no me puedo creer lo bonita que eres, no me puedo creer la suerte que tengo…, no me puedo creer…

A Eva le producía ternura la adoración que desprendía. Se dio cuenta de que él tenía ganas de besarla, pero que no se atrevía. Lo cual no dejaba de ser gracioso con lo que acababa de pasar.

Se lanzó ella y le besó en los labios. Despacito, como un beso de novios primerizos. Siguieron besándose y abrazándose, y volvieron a hacer el amor un par de veces antes de quedar los dos definitivamente dormidos uno en los brazos del otro.

Por la mañana lo hicieron de nuevo, era verdad que era un amante muy bueno y muy cariñoso. Él le repetía constantemente que no podía creer su suerte, que ella era mucho más de lo que se había atrevido nunca a soñar, que era tan guapa, tan elegante, que se había enamorado como un colegial y que le tendría a sus pies, eternamente.

Eva ya sabía bastante de la vida como para saber que aquello era sobre todo fruto del torrente de adrenalina que la aventura les había producido, pero también disfrutaba no sólo del amor rendido de Óscar, sino de un sentimiento de querencia hacia él que fue creciendo a lo largo de todo aquel domingo que acabaron pasando juntos.

Le parecía guapo, tenía un trabajo interesante, ya que era fotógrafo de moda de una agencia muy prestigiosa. Eva le decía que entonces estaría acostumbrado a tratar con mujeres bellísimas y él decía que sí, pero ninguna como ella, se apresuró a asegurar. No sabía que a Eva en realidad le daba igual, estaba muy segura ya de su valía, pero era adorable todo ese cuidado hacia su persona.

¿Quería Eva que le hiciera una sesión de fotos? El lo haría encantado. Sería el segundo mejor regalo que podría hacerle tras aquella fiesta y aquella fantasía cumplida por fin.

Quedaron en volver a verse en un mes, él tenía que viajar a Argentina para unas sesiones largas de trabajo, por lo que no podrían verse. Le dijo que no perderían el contacto, que le iba a demostrar que le había impactado de verdad y que le importaba.

Mientras tanto, su amiga virtual, Miércoles, había dejado de serlo abruptamente. Manuel no había aparecido el día de la cita, le habían ingresado de urgencias por un terrible dolor de estómago. Pese a que la propia Eva le confirmó que no era una excusa, que era cierto, ella decidió no perdonar. Eva tenía también la sospecha de que tal vez Oscar se había pasado en alabanzas hacia ella y que el fantasma de los celos podría haber hecho aparición. Se dio cuenta de que ni siquiera sabía su nombre verdadero.

Volvió a su rutina, a su trabajo y a su vida. No acordarse de Óscar era imposible, ya que constantemente le llamaba, le escribía mensajes, a veces quince o veinte cada día. Le contaba cada paso que daba y que no daba. Comenzó a agobiarse un poco, sobre todo cuando él comenzó a preguntarle si había estado alguna vez en aquel país, y qué le parecería como destino…, para una posible luna de miel, el Perito Moreno, algún día no muy lejano.

Aunque él le había gustado, la pasión se había enfriado con la distancia. Nunca se imaginó que aquel momento tan excitante y tan intenso fuera a acabar convirtiéndose en esto.

Intentó enfocar el asunto con perspectiva práctica, y valorar sinceramente si no sería aquel el momento de sentar la cabeza de una vez. Óscar estaba enamorado de ella, era atractivo, tenía un buen trabajo, podía darle estabilidad… Valoraba todos aquellos factores que situaba en el platillo del «a favor» de la balanza.

Mientras se desperezaba en la cama de alguno de sus amigos, mientras les dejaba que le recorrieran con un dedo la columna vertebral hasta su último huesito, ahí abajo, sintiendo un escalofrío de placer por todo el cuerpo, ponía cada uno de esos hormigueos en la balanza del «en contra», hasta dejar ese platillo ya con tanto peso que los argumentos positivos salían disparados contra el techo.

Además, ¿Qué estaría haciendo él? ¿Le sería fiel? Seguro que no. Ella no se había enamorado, sólo se lo había pasado bien. Era un tipo encantador, pero como tantos otros. Y sólo se habían visto un fin de semana, aunque después hablaran y hablaran interminablemente por teléfono.

El mes concluyó y Óscar volvió a su vida. Como entre semana no podrían verse, él le dio una dirección a la que acudir el sábado por la mañana. Eva tenía que reconocer que al menos imaginativo sí demostraba ser.

Llegó puntual, a un edificio tipo bloque de *lofts* a las afueras de la ciudad. Cuando entró en el que tenía que llamar le sorprendió la cantidad de luz que entraba por doquier, ya que casi todas las paredes eran de cristal hasta el altísimo techo. Era su estudio fotográfico. Ya ni se acordaba de la sesión de fotos que le había prometido. La abrazó efusivamente y la besó con intensidad. En los labios, en los ojos, en el pelo. Le dijo que le había echado de menos, pero que ya estaban juntos por fin.

Como se pasaba, según parecía, la hora perfecta para hacer la sesión de fotos, tuvieron que empezar rápidamente. Eva se había puesto un vestido rosa claro de largas mangas y abierto de arriba abajo con una fila de botones dorados y una cadena dorada también en la cintura.

Comenzó la sesión y él disparaba interminablemente. A su rostro de frente, al cuerpo entero, a las manos solas… Eva se estaba divirtiendo. Trabajaban con miles de fotografías en la agencia, pero nunca había pensado que un día la fotografiada podría ser ella.

En un momento dado le dijo que le tomaría una instantánea de perfil, que se situara junto a los ventanales y mirase hacia fuera, porque la luz entraba de una forma que le iluminaba el cuerpo debajo del vestido fino. Eva seguía en la misma postura, y fue subiendo una de sus manos hasta el primero de los botones, que liberó, y luego un segundo, hasta que uno de sus pechos sin sujetador quedó al descubierto. Ella seguía mirando hacia la calle, entre distraída y pícara. Al otro lado había más edificios como ese, pero con el reflejo de la luz no se veía lo que pasaba en ellos. Quizás el suyo ahora sí se veía desde fuera.

Óscar comprendió y liberó el otro seno. Siguió haciendo fotos. Abrió los botones hasta la cintura, primero. Le pidió que se apoyara con la espalda en la pared y que le mirara. Le levantó el vestido, comprobó que no llevaba nada de ropa interior y siguió con los disparos.

Le pidió que sujetara las puntas del vestido por abajo, ahora abierto, sólo retenido en el cuerpo por la cadena en la cintura, que se apoyara así, indolente, en la pared y que le mirara. Luego sujetó la cadena con los dedos, mientras la introducía despacio a lo largo, entre los labios de la vagina de ella, que gimió de placer por el frío del metal, y siguió disparando sus flases justo ahí, el cuerpo entero exhibido, el fino vestido abierto a los lados, la cadena colgando entre sus muslos, las manos apoyadas a ambos lados del cuerpo… Ojalá hubiese alguien mirando en los otros edificios…

Definitivamente la sesión había cambiado su cariz. Oscar extendió en el suelo unas telas de raso rojo que tenía sobre un sofá y le pidió que se tumbara. Ella notaba el bulto inmenso de sus pantalones y no podía creer cómo podía aguantar aquello tan estoicamente. Era evidente que estaba muy acostumbrado a esa situación.

Tirada en el suelo, le dejó hacer todas las fotografías imaginables. De sus partes íntimas, de su boca lamiendo la cadena…

Acabaron haciendo el amor sobre el mismo raso rojo del suelo y en el sofá. Eva tenía la sensación, no sabría explicar por qué, de que más de una de las sesiones de trabajo de su rendido admirador habían acabado y acababan así.

Revisaron juntos las fotografías, más tarde, tomando un café, en el visor de la propia cámara. Eran muy sensuales y también muy artísticas. Óscar estaba entusiasmado. Comentó algo sobre una publicación.

Antes de salir del estudio, Eva le pidió la tarjeta de memoria para poder verlas en su casa tranquilamente, por supuesto que se las iba a devolver intactas, sí, todas ellas, ya sabía que eran el recuerdo de una tarde increíble y que las disfrutarían juntos mucho tiempo. No debía preocuparse.

Ya en su casa, sola, las contempló durante mucho rato. Las pasó a una tarjeta de memoria suya y dejó en la original tan solo una en la que se veía su pubis nacarado con la cadena dorada sobre él. No iba a consentir que fotos como aquellas estuvieran en las manos de nadie. Tan loca no estaba.

Le daría la tarjeta de memoria medio vacía la próxima vez que le viera, cuando le dijera que no tenía mucho interés en seguir con la relación y rechazara oficialmente la propuesta de matrimonio, si es que aún seguía en pie. Probablemente no, pero a quién le importaba eso.

9
Eva y Sara, de un viaje a México
❧

𝕰va y Sara eran amigas desde hacía muchísimo tiempo.
Se habían conocido en la universidad, en una Fiesta de la
Primavera que a la asociación de Sara le había tocado organizar.
El rector había sido muy claro: nada de puestos ambulantes de
bebida, para evitar los desmanes y el caos que se produjo el
año anterior. Los destrozos se habían publicado y magnificado en
la prensa nacional, y esa no era la fama que el rectorado quería
fomentar. Bastante tenían ya con San Canuto.

Armada con su mejor sonrisa y la férrea determinación del
«No pasarán», se encontró ejerciendo su sufrida autoridad
entre las decenas de universitarios y aprovechados que pretendían hacer negocio de aquel día de fiesta.

Especialmente desagradable le resultó la conversación con un
tipo presuntuoso y altanero, con aires de vizconde, que se ne-
gaba a retirar su mesita repleta de botellas de whisky y ginebra
baratos. A su lado, sus amigos miraban para otro lado, y la que
debía ser su novia, una guapa chica rubia de dulces ojos azules
la observaba en silencio. Nadie osaba intervenir en aquel grupo.

Sara se alejó, amenazándole con las penas del infierno y con
lo que era aún más práctico, buscar a la policía inmediatamente. No pensaba hacerlo, pero asustar a aquel tipejo le producía
ya placer suficiente.

La fiesta se desarrollaba con normalidad, o todo lo normal que podía ser una fiesta universitaria, así que unas horas

después Sara y sus compañeros pudieron relajarse y disfrutar de los grupos de música en directo, de la bebida y la comida, y del sol maravilloso de aquel día.

En un momento de la tarde se sentó a descansar bajo la sombra de uno de los enormes árboles del campus, descalza, con una cerveza en la mano, alegrándose la vista con un improvisado partido de fútbol que algunos chicos, en pantalón corto y sin camisa, empezaban a jugar espontáneamente en un claro, a escasos metros de ella.

La cerveza se acababa, pero estaba demasiado a gusto como para moverse. Alguien se sentó a su lado, justo en el momento en el que los chicos del partido se abrazaban alborozados por lo que debía de ser un gol.

—¿Disfrutando el espectáculo? —le dijo una voz.

Era la chica rubia con cuyo novio había tenido la pelea desagradable. Le traía una cerveza.

—Este show no se disfruta igual sin una cerveza fresquita en la mano —añadió sonriente mientras se soltaba las sandalias.

—Veo que tenemos las mismas aficiones, —se rio Sara—. Soy Sara, Derecho.

—Yo, Eva, Económicas, pero lo odio. Espero no tener que dedicarme a esto nunca en mi vida.

—Ah, ¿y qué quieres hacer?

—Pues… no sé… —La miró directamente a los oscuros ojos desde sus marinas pupilas— supongo que sentarme bajo un árbol a ver correr tíos sin camiseta, con una amiga.

A Sara hacía mucho rato que ya le caía bien.

—Tu novio es un imbécil.

—Bueno… cuando le conoces bien es diferente, en serio. Es sólo la primera impresión, por su carácter…

—Ya…

—¿Qué haces mañana por la noche? Mi novio se va con unos amigos a pasar el fin de semana a Sevilla.

Eva odiaba los días en que su novio la dejaba para irse con sus amigos, porque había abandonado por él a sus amigas de la infancia, y ahora esas tardes y noches en que la dejaba sola las pasaba encerrada en casa, con una opresiva sensación de abandono.

—Salgo con mis amigas. ¿Por qué no te vienes? Iremos al barrio de la Latina. Cenamos y luego… ya se verá.

—Me parece perfecto.

Chocaron las cervezas y siguieron mirando la carrera de pantorrillas y torsos desnudos frente a ellas.

—Pero tu novio es un imbécil.

—Vale.

Su amistad había nacido, se había desarrollado y solidificado desde aquel día. Sabían lo que la otra tenía en la mente con sólo una mirada, y se querían.

Casi doce años después, las dos necesitaban un descanso. Necesitaban, porque esa era realmente la palabra, desconectar de trabajos estresantes, de relaciones fracasadas y sacudirse el invierno y los jerséis de cuello vuelto de encima.

Fue en una cena con más amigas donde surgió la idea de darse el homenaje que tanto se merecían. Entre plato y plato se barajaron países ideales y se estudiaron sus pros y sus contras. Europa, frío, descartada. Excepto Grecia, pero esa era una opción de verano, y estaban en febrero. Cuba, recuerdo agridulce para Sara, descartada. Jordania, lugar al que ir algún día en pareja, cuando encontrasen a alguien digno de formar tan aparentemente difícil asociación, descartada Brasil, muy lejos, descartada México… ¿México?... Cancún.

Convinieron en que, cuando todo el mundo cuenta lo mismo sobre algo, se crea a su alrededor un halo de leyenda urbana que hace dudar sobre si la historia es real o no. Todas conocían a alguien que había estado allí y que había vuelto absolutamente encantado y contando maravillas. Que si era el paraíso, que si era de postal… Desde luego, reunía un montón de características deseadas y contrastadas, a saber: buen tiempo, playas de arena blanca, palmeras, y zonas monumentales a las que ir a hacer turismo. Mucha gente les comentó sobre los riesgos, sobre la falta de seguridad en la calle, pero prefirieron no escucharles. Desconocían absolutamente todo lo referente a la vida nocturna de la zona, y todo lo referente al tema hombres. En cuanto a eso, si había bien, y si no también. Una semana larga de tranquilidad al sol sería muy bienvenida en cualquier caso.

De todas las que se animaron a apuntarse al viaje, sólo Sara y Eva consiguieron al final cuadrar agendas y marcar en rojo en sus calendarios una larga «semana» de diez días con el sagrado nombre de vacaciones.

Eligieron un hotel de cinco estrellas, cerca de lo que les habían asegurado en la agencia que era actualmente «lo más» de la zona: Playa del Carmen. Durante los preparativos revivieron ese placer indescriptible de llenar una maleta con bikinis y pareos mientras fuera llueve a rabiar.

Las nueve horas de vuelo se pasaron rápidas. En el avión había revistas pero ni las hojearon. Eran de esas mal llamadas «femeninas» y de las que Sara opinaba que deberían llamarse «porno *light* para hombres». Sólo servían para que, quien debiera ser su público, las mujeres, se vieran cada día un poco peor frente al espejo, más obsesionadas con adelgazar, con operarse, sintiéndose mal al contemplar cientos de fotografías de chicas medio en pelotas, retocadas con *photoshop* todas ellas, operaciones de todo tipo incluidas. Su impresión se radicalizó el día que pilló a Jens saliendo del cuarto de baño con una de sus revistas en las manos. La tiró inmediatamente. Sus vicios que se los pagara él.

Aprovecharon para ponerse al día. Eva contó que Ravi ya se había ido. Le dijo que su padre le reclamaba en casa y que le había enviadoun ultimátum. En otras palabras, que comenzase a corresponder al dinero invertido en su educación y se dejase de hacer el tonto por Europa. Le había buscado «una vida», había dicho él. Eva dedujo que significaba que le había buscado un trabajo. Sara añadió que en el lote debía ir una dulce esposa hindú. A Eva le dolía un poco reconocerlo, pero seguramente era verdad. Ravi había abandonado Facebook y todo lo que había sido su mundo en los últimos años, y la única comunicación que había mantenido con Eva en todas esas semanas fue una foto de dos monos en una calle enviada por correo electrónico. Dado que los monos no estaban haciendo nada raro, sino que estaban ambos mirando al tendido, no tenían ni idea de cómo interpretarlo.

De Óscar no había vuelto a saber nada. Eva desconocía qué película había ideado su cerebro en el tiempo que había estado en Argentina, pero la propuesta de matrimonio resultó ser firme, y cuando ella rechazó el ofrecimiento todo lo amablemente que pudo, se mostró indignado y resentido. Evidentemente también él había utilizado el «método balanza» para valorar su situación, y en sus paseos «Perito Moreno arriba-Perito Moreno abajo», debió de llegar a la conclusión de que su cabeza merecía asiento de una vez por todas, entendiendo que Eva era la mujer perfecta para ocupar esa posición, o mejor dicho «postura». Qué mejor sitio para sentar la cabeza pues que su cálido regazo. Guapa, culta, con un buen trabajo, bien remunerado, le había parecido la mujer ideal.

A Eva, que se lo presentase con esta frialdad empresarial le terminó de confirmar que su decisión no podía ser más acertada. Le dijo que no quería volver a saber de él, que le parecía muy poco caballeroso de su parte, que había demostrado no tener clase ninguna y que dejase de insistir, que no iba a devolverle la memoria de la cámara.

Sara a su vez le contó que Jens continuaba llamando, sólo para decirle hola y saber qué tal estaba, aunque a veces dejaba escapar alguna insinuación procaz con el deseo de que le siguiera el juego y continuara, pero que ella cortaba de raíz. No siempre descolgaba el teléfono. Muchas de las veces lo dejaba sonar y sonar y sonar… Con los dos cubanos mantenía correspondencia, le contaban sus cosas, ella les contaba las suyas, Yoel planeaba su huida a Europa de la mano, cómo no, de una inocente extranjera. Al bombero no había vuelto a verle, debió de echarse novia, suponía, poco antes de cumplirse los dos meses de su encuentro y ella había tenido que consolarse, muchas, muchísimas veces, entre los musculosísimos brazos de su entrenador, ahora «muy personal». Eva se destrozaba de risa.

—Mejor para ti —le dijo—, así no te enamoras como una colegiala del hombre equivocado, como siempre.

Cada uno buscando su vida y ellas, rumbo a las vacaciones, sin importarles nada más.

México las recibió radiante, soleado, espléndido. El guía era un hombre animado, divertido y con cara de pícaro, que no paró de hablar ni un minuto de las dos horas que duró el trayecto hasta los hoteles. Una de las muchas recomendaciones que les hizo fue que se olvidasen desde ya de utilizar el verbo «coger», tan usado en España para todo. Les hizo reír, y dedicó muchos de sus chistes a las parejas, casi todas de luna de miel, que llenaban el autobús.

El hotel era tan espectacular como habían imaginado, lleno de preciosas casitas a los lados y enormes piscinas en el centro y al fondo, pero tan cerquita..., el mar.

Tenían dos habitaciones contiguas, con vistas a un tranquilo espacio de palmeras y hierba cortada. Las habitaciones eran enormes, con camas gigantescas y confortables y una preciosa bañera redonda con hidromasaje. Se cambiaron rápidamente y se fueron a cenar, aún tenían que conocer las instalaciones del enorme complejo y decidir en cuál de los siete restaurantes temáticos cenarían esa vez.

Estaban encantadas. Pasar del frío europeo y la oficina a los vestiditos de tirantes y el rumor del mar Caribe en unas horas sencillamente no tenía precio. El aire olía dulce y no salado como en otros mares y se pegaba a la piel enroscándose como un pañuelo de raso. Caminaban despacio para no perderse ni un detalle.

Eligieron, por simplificar, el restaurante bufet. Ambas podían permitirse un par de kilos sin problemas, con lo que decidieron disfrutar libremente de todo lo que México les fuera a ofrecer. En ese momento, su comida. No estaba en sus planes privarse de nada.

La bebida posterior en alguna de las terrazas o bares, o hasta en la minidiscoteca, también estaba incluida. Se dieron otra vuelta de reconocimiento, esta vez de caza mayor, pero no vieron nada interesante, salvo un grupo de diez españoles que tomaban copas en una de las terrazas y que se las quedaron mirando. Algunos eran muy guapos, pero miraban a todas, señal de que les valía cualquiera y ellas, como cualquier mujer sabían que ese es un mal ganado.

El hotel rebosaba de turistas canadienses y norteamericanos, muchos en familia, otros en grupos de amigos. Ruidosísimos y bastante borrachos para ser sólo las once de la noche, que bailaban y cantaban a pleno pulmón algunas de las canciones que, en honor a ellos, tocaba una banda de música en directo.

Horas después, la suavidad de la cama, el sonido lejano del mar, el viento moviendo suave las hojas de las palmeras... Durmieron como dos niñas.

A la mañana siguiente tenían reunión con el turoperador para conocer las excursiones que les ofrecían. Podían haber elegido ir por libre, pero no querían complicaciones. No pretendían esforzarse ni un segundo en pensar, ni en buscar alternativas, ni en malgastar horas de asueto en buscar proveedores más baratos. Lo querían todo hecho y lo querían ya, para salir corriendo hacia la playa privada del hotel lo antes posible.

De toda la oferta escogieron tres actividades: Chitchen Itza, por supuesto. No podían volver a España sin haberlo visto, qué vergüenza. Isla Mujeres para comprar plata, y otra zona de reciente explotación y dificilísima pronunciación en la que, según decía el guía, era la mejor forma de ver delfines y tortugas en libertad, y las playas de arena más blanca que hubieran soñado jamás.

La playa privada del hotel era ya de por sí una maravilla. Cubierta de una arena harinosa, que reflejaba toda la luz del potente sol, plagada de alineadas palmeras, todas en su justa medida de altura y a la que se accedía por una pasarela de madera. Y enfrente, un mar azul verdoso de película de Hollywood.

Pasaron el día entero haraganeando en la playa, de la hamaca al bufet de comidas, de ahí a la piscina, después al bufet de bebidas, a cual más deliciosa, de ahí a la playa, al bufet de nuevo, y para rematar la jornada, un buen masaje.

Tumbadas en la arena, con el sol calentándoles el cuerpo y los pies en el agua transparente, que se los acariciaba mimoso, Eva rememoraba sus últimos encuentros sexuales. Sara le había oído hablar tantas veces de Nina que le parecía conocerla, muy íntimamente. A Sara no le atraían las mujeres. Tenía fantasías en las que se acostaba con alguna, pero siempre era ella la que recibía el placer y no al revés, lo cual no sería justo llegado el momento de entrar en acción, decía.

Había leído, en uno de los diarios de su adorada Anaïs Nin, que el sabor del sexo de una mujer era fuerte, como de almeja muy salada. Eva se reía de ella. Le decía que dependía, como en el caso del pene de los hombres, de muchos factores, y no sólo de la higiene. Que cada piel huele distinta, en la vagina también. Que ella no se sentía lesbiana, ni tampoco lo era Nina. Ambas eran heterosexuales hedonistas, decía, dispuestas a disfrutar de cualquier placer que les ofreciera la vida.

A Sara los tríos con dos hombres sí le parecían una buena idea, aunque pensaba que llegado el momento no se atrevería. Eva le había contado con todo lujo de detalles cómo se sintió cuando fue penetrada a la vez por Miguel y por Sebas. Lo más parecido a esa sensación que ella había vivido, le explicaba, había sidoen la cama con Jens, cuando en uno de los viajes llevó un vibrador, enorme y duro como una piedra, y él jugaba a metérselo por la vagina mientras la sodomizaba. Le gustaba mucho, aunque no lo había vuelto a intentar con nadie.

Observaban a los hombres que pasaban alrededor, casi todos en pareja, así que a esos sólo les miraban una vez. Se fijaban en los mejicanos, que eran increíblemente amables, y que siempre se dirigían a ellas con una amigable sonrisa o con una palabra agradable.

Les parecían atractivos. Tenían la piel tostada por el sol y en muchos de ellos se notaba una ascendencia, aunque remota, india. Les fascinaba el acento, tan cantarín.

Se arreglaron con ilusión antes de salir a explorar la noche. Habían llevado montones de vestidos, todos los que admitía el peso permitido de equipaje por la aerolínea, y aún así se tuvieron que enfrentar al «¿qué me pongo?» de rigor.

El taxi las dejó en lo que sin duda era la arteria principal de Playa del Carmen. Estaba flanqueada por pequeñas tiendas que aún permanecían abiertas, coloridas y brillantes. Pero no era día de compras. Eso para el final.

Fueron bajando hacia la playa. Por la calle había muchísima gente. Turistas y también mejicanos. Les asaltaban a cada paso los relaciones públicas de la multitud de bares y pubs de la zona. Querían dejarse llevar, no quemar todas sus energías en la primera noche, ni entrar en el primer local de todos los que se ofrecían. Llevaban anotados un par de nombres, con las recomendaciones de lugares nocturnos de diversión de su guía turístico, que se había ofrecido a acompañarlas y por supuesto, a buscar un amigo. Declinaron la oferta todo lo amablemente que pudieron. Nada de parejas hechas el primer día.

El ambiente era muy parecido al de tantas playas españolas. Como si no ocurriera nada afuera, en el mundo real, y las palabras «diversión» y «disfrute» se pudiesen respirar en cada esquina. El aroma de las vacaciones, en una palabra. Ambas habían estado juntas muchas veces en las zonas costeras de Andalucía, y también en Ibiza.

—Aquí la gente va vestida por la calle –puntualizó Eva.

—Gran verdad, esa es la diferencia con Ibiza –rio Sara.

Eligieron uno de los locales. El relaciones públicas las convenció con la larga serie de bebidas gratis que les podía ofrecer si accedían a seguirle. Y el lugar tenía muy buena pinta. Les terminó de animar a entrar un grupo de chicos impresionantes que se divisaban en el interior, apoyados en unas mesas altas.

Le siguieron hasta el fondo del bar, hasta la barra. El sitio era muy bonito, y tenía unas pequeñas terrazas en las que grupos de chicos y chicas charlaban y reían. La música era muy bailable, aunque el local no era de baile propiamente dicho, sino de aquellos de ver y dejarse ver. Su guía les invitó a todo lo prometido. Se lo estaban pasando bien. Algunos hombres se acercaban a ellas, hablaban un rato. Cuando Sara quiso darse cuenta, Eva estaba pasando los límites de la charla amigable con uno de ellos. Un tipo bien vestido y de rostro enjuto y que por alguna razón a Sara no le daba buena espina. Parecía… un mafioso. A los dos minutos habían desaparecido hacia una de las terrazas, para besarse a gusto.

A Eva también le pareció que el chico no era de fiar, pero fue eso lo que definitivamente la atrajo hacia él. Siempre se había inclinado más hacia los hombres con cara de malo, gozaba mientras les besaba y en su cerebro se mezclaban como en espirales el deseo físico y el miedo. Sabía que no debía, que algún día esa tendencia le traería un problema serio, pero en ese momento no quería evitarlo. Se aferró a sus brazos en la oscuridad de la terraza, mientras los dedos de él se clavaban como garfios a sus caderas.

Sara se había quedado sola, su último acompañante se había ausentado al baño y ella esperaba que no volviera. Estaba muy borracho. Tenía tantas botellas de cerveza en la mesa, fruto de todas las invitaciones recibidas, que se entretuvo en colocarlas con un poco de orden para evitar el desastre y terminar empapada.

Un chico contemplaba su operación, con gesto divertido.

—Todo eso ya no te sirve –le dijo– yo te invito a otra.

A Sara le pareció gracioso. Su problema era acomodar todas las botellas medio llenas, mientras él ordenaba al mesero otra ronda, para ella y para todos sus amigos y amigas.

El chico le presentó a «su gente», como dijo. Se llamaba León, y tenía los ojos de gato más impresionantes que Sara hubiera visto nunca en un hombre. Eran tan negros, y las pestañas tan oscuras y tupidas que parecían pintadas. De cuerpo delgado y fibroso y rasgos afilados, parecía un mago. Le dijo que era pintor. Que tenía su propia galería en Cancún, donde vivía, y que algún día tendría que ir a verla.

Los demás eran también muy agradables. Gente despreocupada y feliz, en un día de fiesta.

Sara se volvía de vez en cuando buscando a su amiga. Para su alivio, Eva no tardó en volver. Había tenido una bronca con el tipo. Cuando ella le dijo que no, que no le iba a acompañar a su casa, ni a un hotel, ni a ninguna parte, comenzó a comportarse mal. Se había vuelto rudo, y hasta la agarró por un brazo al intentar convencerla de que le siguiera. Eva se había asustado de verdad. Imágenes de cosas horribles vistas en las noticias de la televisión se empezaron a acumular en su cabeza. Se había escabullido de allí y de momento le había perdido de vista. Intuía que en un lugar menos concurrido no hubiera tenido tanta suerte.

Mientras contaba su historia, León la miraba con preocupación. Le decía que nunca, nunca, se fueran con un desconocido en México. En realidad en ninguna parte, les decía, pero allí desde luego que no. Que Playa del Carmen era uno de los sitios más seguros del país, pero que no debían confiarse.

Eran un grupo divertido, con un líder claro, que era León. Tanto Eva como Sara tenían ya un favorito en el grupo. Para Sara, León, y para Eva, Ricardo, o Rico, como le llamaban, un muchacho casi rubio de ojos verdes y breve perilla, como muchos por allí.

Cuando decidieron irse, se cambiaron los teléfonos. Volverían el sábado y ellos esperaban verlas. Se despidieron con un beso en los labios.

La noche había volado, literalmente. Volvieron al hotel felices y durmieron mejor que bien. Al día siguiente tocaba excursión a Isla Mujeres, con crucero incluido, tenían que estar lo más descansadas posible.

El barco que organizaba la fiesta y que las llevaba a Isla Mujeres salía precisamente de Cancún. Observaron a los que iban a ser sus compañeros de juerga marítima antes de embarcar y había un poco de todo, en cuanto a edades y aspectos. La gran mayoría extranjeros, eso sí. No habían pasado ni diez segundos desde que el barco partiera y ya estaba todo el mundo en bañador y la música a todo volumen. Una alegre discoteca flotante. Comida y bebida estaban incluidas, con lo que Eva y Sara se tumbaron, dispuestas a tomar el sol.

Los componentes de la tripulación, vestidos de blanco inmaculado, pasaban entre los clientes una y otra vez ofreciendo licores. El grado de alcohol no era muy alto, y las bebidas eran muy frescas y dulces, por lo que bebieron una y otra vez, disfrutando del viaje. La brisa del mar era fresca también, y no sentían la necesidad de refugiarse dentro del catamarán, a la sombra, como hacía un grupo de turistas de piel extremadamente fina y blanca.

El tiempo pasaba mientras avanzaban por el mar. La gente estaba alegre. Las dos se sentían felices, libres y extremadamente afortunadas por estar allí, disfrutando de ese día.

Dos chicos de la tripulación les daban conversación de vez en cuando. A Eva le gustó especialmente uno de ellos, no muy alto pero con una bonita cara. Coqueteaba con él. Era fascinante, pensaba, ese juego de seducción en el que evalúas tus posibilidades mientras el otro hace lo mismo. Tomas una decisión de avance, aún con cautela, le conectas la mirada. Toda mujer sabe que cuando un hombre te mira más de dos segundos seguidos, es que le gustas. Como hembra. Si te sostiene la mirada aún más, si te sigue con los ojos, ya está hecho. Es tuyo, al menos por un rato. Da igual que esté comprometido, o hasta casado, lamentablemente. Puedes cogerle por un brazo, como a un muñeco, y llevártelo adonde quieras. Al menos por ese rato. O al menos eso es exactamente lo que ellos están pensando.

Y Eva ya había tomado esa decisión. Le ayudó la bebida, la música, el bamboleo del barco, los dedos de él rozando los suyos al cambiarle la copa por otra llena, su mano en la cadera, durante un breve instante, al hacerle un comentario, docenas de personas junto a ella sin percatarse de nada. Sara no pensaba que al final fuera a atreverse, o a arriesgarse él, que estaba trabajando, pero Eva ya no pensaba en otra cosa. Estaba empapada de deseo por él.

La excitación le había elevado los niveles de adrenalina hasta el infinito, así que en cuanto pidieron voluntarios para subirse a un parapente sujetado por cuerdas fue la primera en levantar la mano, gozosa.

Se subió al frágil columpio aéreo disfrutando de la sensación de riesgo y vértigo que tanto le gustaba. El viento y la cuerda con la que la sujetaban la zarandeaban a varios metros sobre el mar y al caer de golpe al agua, se llenó los muslos de moratones. Volvió a la cubierta, alborozada y feliz. El chico acudió solícito a su lado a ver qué tal estaba y si había disfrutado la experiencia y se mostró preocupado cuando vio los golpes en sus piernas.

—Tenemos pomada para esto en el camarote –le dijo–. Te aplico un poco, y te hará sentir mejor..., si quieres.

Eva hubiera gritado de alegría. Dejó su copa en las manos de Sara y le guiñó un ojo. Siguió al muchacho, sorteando a la gente, hasta un pequeño camarote para los utensilios, en el que cómodamente sólo cabían tres personas.

Una de las compañeras de él se percató, y cerró la puerta tras ellos. Una vez dentro y ya solos, el muchacho sacó la crema y se puso unas gotas en los dedos, y comenzó a untarla brevemente por los muslos de ella, por la zona magullada, suavemente, por las nalgas, donde no había marcas, por dentro de la braga del bikini por detrás, y después por delante, con los dedos en su clítoris, donde ella le esperaba ya empapada.

Se besaron con furia. No tenían mucho tiempo, fuera retumbaba la música y la gente bailando, a él pronto le echarían de menos. Tenía un sabor salado por los labios, por el pelo, por los pezones. Se agachó a morderle los pechos y los labios de la vulva. Volvió de espaldas a Eva y le bajó la braga del bikini, mientras metía los dedos por todas sus aberturas. Pegado a su espalda le levantó una pierna y la colocó sobre un banco corrido a la pared, blanco inmaculado, como todo allí dentro. Pronto alguien irrumpiría en el cuarto, quizás el propio jefe o algún otro compañero. La penetró desde atrás con mucha fuerza, con un empuje que la clavaba contra la pared una y otra vez, una y otra vez. Con una mano apretaba sus pechos y con la otra frotaba el clítoris hasta volverla loca, mientras seguía empujando, deslizándose dentro de ella hasta que Eva se corrió, con un estremecimiento agónico que la hizo temblar durante varios minutos, mientras él se soltaba dentro de ella ahogando unos profundos gemidos en su nuca. Ella se dio la vuelta y permanecieron abrazados aún un par de minutos más, besándose lentamente en los labios y en los párpados.

Volvió a la cubierta con el pelo revuelto, los ojos brillantes y tambaleándose un poco. La excusa era buena, estaban en un barco y bebiendo. Le hubiera gustado subirse al punto más alto y gritar a todo el mundo lo que acababa de hacer, bajo sus pies, sin que se hubieran dado cuenta.

—Ha sido increíble —le susurró a Sara al oído—. No te imaginas lo bien que folla.

—¿Con preservativo? —Sara siempre ponía el punto de vista práctico en cualquier asunto, aunque no consiguiera aplicárselo a sí misma en la totalidad de las ocasiones.

—No... —Eva la miró con sus ojitos azules y su tierna sonrisa, como una niña pillada en falta.

—Ay ay ay..., si fuera tu madre —le dijo Sara divertida— te mandaría a una esquina a pensar en lo que has hecho.

—¡Mmm! Vale... —pensaré mucho en lo que he hecho...

Se partieron de risa. El nivel de adrenalina de Eva parecía no tener ya límites. Mientras Sara haraganeaba tirada sobre la toalla, ella participaba en todos los bailes de grupo que se organizaban. Se sentía como una olla a presión, expulsando aire caliente a chorros, bullendo por dentro.

Eva admiraba la calma de Sara, su cerebro analítico, capaz de diseccionar una idea y dejarla flotar en el éter hasta que la hubiese comprendido y estudiado en su totalidad. Siempre había sido así. A veces como una madre, preocupada por ella y por las demás amigas, siempre con la bandera de su nuevo ideal en la mano, de su nueva lucha. La contemplaba tumbada sobre su toalla de color fresa, y le recordaba el día en que la conoció. Enfurruñada, con la larga melena castaña bajo los rayos del sol que se colaban entre los árboles, con las manos en jarras sobre sus vaqueros, como una versión delicada y dulce de un matón de discoteca, enfrentada a su novio, sin importarle las impertinencias y groserías que el otro le soltaba. Sabía que había encontrado una amiga en el instante en que le cruzó un segundo la mirada y captó un rayo verde, como el que describía Julio Verne.

Sara mientras tanto, observaba a un grupo de chicos y chicas árabes. Argelinos, por un comentario suelto que escuchó. Todos en bañador, bebiendo y bailando sin parar, jóvenes, libres y guapos. Era especialmente llamativa una de la chicas, bellísima y perfectamente conocedora de ello, con un cuerpo escultural, natural y sin complejos, fresca y sensual. A Sara le hubiera gustado ser así. Segura de sí misma, voluptuosa, una diosa del erotismo, como a veces escuchaba por ahí. De cualquier manera, le resultaba gratificante una escena tan poco usual como un grupo así viviendo esa fiesta, sin velos ni censuras. Sólo disfrutando de la libertad y el mar Caribe.

En Isla Mujeres desembarcaron y compraron plata. Anillos y pulseras de bonitos diseños pero no tan baratos como les habían dicho.

A la vuelta en el barco Eva y el muchacho se miraban constantemente pero no había opción para más juegos, ya que la tripulación había comenzado a repartir las fotografías que habían hecho de los viajeros en distintos momentos, por lo que el «cuarto del amor» estaba ahora abierto, con gente entrando y saliendo de él cada minuto.

Habían trabado amistad con una pareja mexicana. Ambos ya de una edad entrada en los cincuenta. Él la besaba, le hacía caricias, carantoñas. Ella respondía con sonrisas, le hacía bromas. En un momento en el que él se alejó, ella les contó que se habían separado hacía mucho tiempo, y que ahora habían vuelto, hacía unos días. Les habló sobre la mala vida que le había dado, de sus noches borracho, de la infinidad de mujeres con las que le fue infiel, las enfermedades venéreas que le llegó a transmitir. Ella le había amado con locura, le había perdonado hasta lo imperdonable, hasta que un día él se fue. Desapareció de su vida hasta hacía unos días, en los que había vuelto enfermo y arrastrado. Ella fingía que lo perdonaba, le aceptó de nuevo en su lecho, pero no olvidaba ni una sola de las lágrimas del pasado, y no descartaba abandonarle ahora ella en cualquier momento.

Eva estaba horrorizada y pensativa. Durante el tiempo que vivió con su novio, nunca consideró ser víctima de un trato incorrecto, sólo veía a su chico como un ser diferente, al que el resto del mundo no entendía. Ahora, al contemplarlo desde fuera, se daba cuenta de cómo podía sonar su propia historia de desamor, que no de amor, en los oídos de un extraño.

A Sara, a la que el alcohol se le había subido hacía mucho a la cabeza y se sentía como flotando a un par de centímetros del suelo, le vino a la cabeza Frida Kahlo, con quien la mujer le parecía que tenía un cierto parecido, sobre todo ahora que había cambiado las risas por un tono dolorido en la voz, y por los poemas que le había dedicado a su marido, a quien amaba por encima de todas las cosas y que tanto la hizo sufrir … «Niño-amor. Ciencia exacta. Voluntad de seguir viviendo… Diego, estoy sola».

Para ellas una historia tan dolorosa en un barco discoteca era como parte de un sueño, surrealista. Era como esa representación tan festiva de la muerte que tenían los mejicanos. Una pasión que mezclaba las cosas de arriba con las de abajo, las de los santos con los vivos y con los muertos. Hablar a la vez de amor y ruina.

Les sacó de sus lúgubres pensamientos el marido, que volvía cargado de bebida para todas, alegre y chistoso como siempre. Ellas ya no le miraban igual. Ignoraban si se daba cuenta.

El amoroso amigo de Eva las llamó a las dos para que fueran a ver las fotos, por si querían comprar alguna de ellas. Entraron las dos con él y eligieron unas cuantas.

—¿Ella sabe…? –le preguntó el muchacho a Eva mirándola provocador.

—Pues claro, –rio ella, encantada de tener la oportunidad de volver a encontrarse con él de frente y tan cerca.

Dos segundos después ya se estaban besando. Sara oyó pasos que bajaban por la escalerilla y se volvió, para darse de bruces contra uno de los tripulantes, el otro muchacho encargado de la animación del barco. A la espalda de Sara, Eva y su amigo seguían comiéndose los labios.

—Güey, ¿esto qué es? –dijo riendo–. ¿Y yo qué? Y sin más preámbulos sujetó la cintura de Sara y la besó.

En unos segundos más, turistas buscando sus fotos bajarían esa misma escalerilla, así que le separó de ella.

Sara estaba sorprendida y le divertía la situación. Eva consiguió soltarse del abrazo, muy a su pesar, porque el chico le gustaba mucho.

Esa noche ambas hablaron mucho sobre el amor mientras cenaban en un restaurante típico en el pueblo. La pareja mejicana y su historia les habían impactado, no por desconocida sino por la influencia del ambiente. Ambas habían tenido todo tipo de historias, sus amigas también, y el denominador común de casi todas ellas, de las historias serias, no de los amores de barra, parecía ser la capacidad de las mujeres por ilusionarse o aferrarse a algo que en realidad no era más que humo. Cómo en cualquier tipo de historia con un hombre elaboraban una realidad paralela en la cabeza según la cual la relación con él tenía que funcionar, aunque fuera evidente que ni lo hacía, ni lo iba a hacer. En lugar de soltar amarras, e ir como el catamarán mar adentro, fabricaban más cuerdas mentales con las que permanecer unidas a puerto sobre un pedacito de agua en el que simplemente flotar.

Por la noche volvieron a salir. Dado que acceder a la discoteca más famosa era también la opción más cara, carísima, decidieron no andar errando de un lugar a otro y entrar en ella como primer y único lugar. Además, les habían dicho que si se retrasaban mucho se perderían parte del espectáculo. Desconocían a qué se referían con lo de espectáculo, pero definitivamente había que probarlo.

A la pista central del local se accedía por lo que parecían kilómetros de pasillo estrecho y oscuro. La entrada daba opción a barra libre, toda la noche. La discoteca en sí era un lugar no demasiado grande, abarrotado de gente hasta el techo, literalmente, ya que a los lados de la pista subían unas gradas, la zona vip. En el medio de la sala había una gran barra cuadrada, que no dejaba demasiado sitio para bailar. Estaba oscuro, apenas se veía nada, y comprendieron la razón cuando, a los pocos segundos, estalló en el enorme y alto escenario que tenían enfrente, una explosión de luz y colores, seguida por la entrada de un grupo de bailarines, que dirigidos por el mismísimo Freddie Mercury devuelto a la vida, representaban de forma genial el *The show must go on*.

A esa actuación siguió otra, y otra, a cual más cuidada, mejor ejecutada. Sobre el centro de la pista, sobre la barra del bar, ahora cubierta, cayeron unas telas larguísimas del techo por la que se deslizaban y hacían acrobacias unos bailarines que no tenían nada que envidiar a los del Circo del Sol.

No era una discoteca con espectáculo, sino una serie de estupendos espectáculos con discoteca, en un ambiente exultante y alegre, lleno de gente pasándolo muy bien. Constantemente caían del techo globos, confeti, en un ritmo tan frenético que las tenía maravilladas. Instantes después, un ejército de rapidísimos empleados pasaba barriendo, de forma que el suelo quedaba impoluto en cuestión de segundos.

Quitaron la cubierta de la barra central en un descanso de los bailarines y un camarero se acercó a Eva y la cogió de la mano, llevándosela unos metros hacia el centro, hacia unas escaleras, y dejándola subida en la barra, que al poco se llenó de chicas de todos los tipos, alturas y hechuras, cuya misión parecía ser bailar ahí durante un rato. Sara contemplaba la exhibición de muslos y bragas ante sus ojos sin dar mucho crédito a lo que veía. Otro camarero intentó llevarla a ella también hacia arriba pero le soltó la mano, mientras Eva, alegre, le hacía señas para que subiera. Ni muerta hubiera accedido, antes hubiera preferido que unos jíbaros le arrancaran la cabeza y se la redujeran. Había dejado de acudir a su local favorito en Madrid porque comenzaron a incluir entre sus espectáculos estriptis sólo de chicas, ¡por supuesto!, bajo el disfraz de *burlesque*. Ella no iba a consentir que el dinero que había pagado por su entrada valiese menos que el de los clientes masculinos, que se solazaban con el espectáculo machista que sólo les gustaba a ellos. Tampoco le interesaban los hombres a los que ese espectáculo pudiese atraer.

Eva, sin embargo, disfrutaba en aquella situación, subida a esa improvisada plataforma, moviéndose sensualmente. Algunos de los tipos de abajo le gritaban cosas y ella se desentendía, flotaba en una nube. Uno de ellos, que parecía norteamericano, muy rubio y bronceado, mantenía la vista clavada en ella, sin pestañear, cada vez más serio. Observaba cada uno de sus movimientos, y ella jugaba a mirarle unos momentos, pasarse las manos por las caderas, mirarle de nuevo. Él seguía allí clavado, con la copa en la mano, como en medio de una sesión de hipnosis. Era muy atractivo, a Eva la tensión comenzó a provocarle un dulce mareo. Se decidió a ir a buscarle, o a provocar un acercamiento, en cuanto bajase de allí.

Abajo, Sara también estaba bien. De hecho, mejor que bien. Justo delante de ella bailaba un chico de piel morena, ajustada camisa y gorra de beisbol. Se movía cimbreándose con mucha sensualidad. Le volvían loca los hombres que sabían moverse. Le miraba de arriba abajo sin ningún recato. La camisa le marcaba la espalda ancha y la cintura estrecha, y los vaqueros guardaban lo que daba la impresión de ser un culo muy bien torneado.

El chico se había vuelto y le había pillado con los ojos fijos en él. Tenía además una cara muy bonita y una sonrisa feliz. Parecía cubano, le recordaba a Yoel pero con la piel más clara y se lo dijo, parecían hermanos. Hasta le enseñó una foto en el móvil.

—No, soy mexicano, ¡pero algo debe de haber porque todo el mundo me lo dice! ¡Al final le voy a tener que preguntar a mi mamá qué pasó por ahí! —y se reía con ganas.

Le dijo que se llamaba Andrés y que no, no era bailarín, aunque no estaría mal como profesión. Que era físico, algo mucho más aburrido.

—¿No te subes a bailar? —le dijo—. Me gustaría verte ahí arriba.

La miraba con aire provocador, acercándose, y la temperatura de Sara se estaba concentrando ya en el bajo vientre, abriendo camino entre sus piernas.

—No, no —dijo ella—. Sólo hay mujeres, eso es puro machismo. Pero si subieras tú sí me gustaría —rio—. Me gustaría mucho.

—Pues ahora que lo dices sí, un poco machista sí que es. Nunca lo había pensado.

Le gustaba. Decididamente. Le gustaba a rabiar. No pensaba dejarle ir sin probar un poco.

Se acercó un amigo, otro chico de agradable rostro y gesto dulce, tanto que parecía mucho más joven de lo que posiblemente fuera. A Sara le gustaba mucho esa mezcla de razas que se veía en tanta gente allá. Un poco de España, otro poco de otros países de Europa, algo de África, mucho de azteca o maya originario… Le gustaba y le excitaba.

—Mira, güey, ¡me salió un hermano en La Habana! ¡Dale, enséñale la foto a Jaime!

Eva bajó del escenario con el resto de improvisadas bailarinas y se unió al grupo. Le encantaba ver que Sara estaba tan bien acompañada y Jaime le atrajo inmediatamente.

Charlaron mucho tiempo, lo que se podía entre tanto alboroto y ruido, rieron y bailaron juntos los cuatro, aunque poco después se separaron en parejas. Eva hablaba con Jaime, le ponía esos ojitos que Sara conocía tan bien y que significaban una sola cosa. Estaban encantadas de haber dado con dos amigos y que las parejas se hubieran formado de una manera tan natural. Ambas estaban locas con su chico, y ellos no parecían disgustados.

Los espectáculos se sucedían unos tras otros, a cual más logrado. Spiderman luchaba contra un malvado vestido de verde.

Muy musculoso el malvado, observaron Eva y Sara. Todo el mundo menos ellas y sus nuevos amigos le abucheaba y vitoreaba al simple de Spiderman, que cómo no, ganaba al final. Una injusticia. Dos canciones después, Jack Sparrow, casi el de verdad, volaba por el escenario y sobre las cabezas del público y luchaba con una corsaria, de forma tan real como si estuvieran dentro de la mismísima Perla Negra mientras caían más globos, más confeti, y los meseros iban y venían con una precisión asombrosa, acertando a traer a cada cliente la copa que había pedido y a entregársela sin casi derramar una gota, entre el agitado tumulto y la música atronadora.

Andrés y Sara bailaban pegados, sin dejar ni un centímetro de cuerpo fuera del contacto con el otro. Se besaban con pasión. Sara deseaba acostarse con él con toda su alma, estaba ardiendo de deseo. En los ojos de él leía la misma lujuria. Besaba con los ojos abiertos y las pupilas clavadas en las suyas y eso la volvía loca.

A un metro escaso de ellos Eva y Jaime jugaban a hacerse fotografías y a grabarse con el móvil de Eva mientras se sobaban, juntaban la punta de la lengua y se reían como locos. A ella la tenía hipnotizada su cara aniñada, sus ojos rasgados y su cuerpo delgado y flexible.

No querían esperar a que terminase la sesión en la discoteca para desnudarse y dejar correr el instinto. Los chicos hablaron entre ellos un par de minutos y volvieron con la decisión del sitio al que ir.

Sin soltarse en ningún momento salieron a por un taxi. Sólo tuvieron que avanzar unos minutos para llegar a uno de esos hoteles en los que desde el mismo coche en el que llegas te dan la llave desde una ventanilla, y con el mismo auto entras, de forma más que discreta, al interior del recinto, hasta dentro de la habitación asignada.

Eva y Jaime desaparecieron tras la puerta de su habitación. El sitio le recordaba a Eva a aquellos moteles a los que su novio solía llevarla cuando llamaba a alguna de sus amigas, pero esta vez era distinto. Ahora el lugar no le parecía sórdido. Las raídas sábanas no le parecían repulsivas, olían mucho a jabón, y el mobiliario de tres euros junto con el espejo como cabecero no le producía ninguna desazón. Todo lo contrario. Estaba allí voluntariamente, con un chico seductor, encantador y dulce, que se volvió un diablo en cuanto la vio desnuda.

Él quiso que se grabaran follando, como lo habían hecho besándose en la discoteca. A Eva la idea le encantaba. De pie, en su postura favorita y sin quitarse las sandalias de tacón, Jaime la penetraba desde atrás, rítmicamente, ella jadeaba sosteniendo el móvil delante de ella, dirigiéndolo a su rostro contraído por el placer, al de él, que sonreía como un niño feliz, a sus pechos que se movían al compás de sus caderas, a su vulva invadida por aquel pene exquisito.

—Luego me tienes que enviar la grabación, preciosa —le susurraba Jaime al oído—. Cuando la vea me masturbaré y pensaré en ti, y en cómo te estoy cogiendo ahora— y le clavaba los dientes en el hombro.

—Sí, sí, —gemía Eva.

Naturalmente, no pensaba enviarle la grabación, ¿por qué todos esperaban que lo hiciera? Pero sí sería un placer volver a ver las imágenes, y recordar ese momento tan delicioso.

Lo hicieron tres veces, y las tres ambos llegaron al orgasmo. Era un amante maravilloso. Eva le miraba recuperar el aliento y le veía tan niño que hasta le preguntó su edad. Él se reía.

En la habitación de al lado se oían claramente los gritos de Sara y de Andrés. Ella no esperaba que fuera tan apasionado. Era increíblemente bueno y estaba disfrutando sin cesar ni un segundo. Andrés no sólo era guapo y dueño de un cuerpo precioso, era además amable y cariñoso, y no paraba de repetirle lo guapa que era, lo mucho que le gustaba su cuerpo, su culo, su cintura, su pelo, su todo. Le lamía la vulva con movimientos rápidos y precisos, la penetraba con la lengua, con el pene grande y duro, con los dedos. Sacó de ella almíbar y le metió la punta del dedo índice en la boca.

—Mira qué bien sabes…

No podían parar de gritar, sin ser conscientes de que sus vecinos de habitación eran testigos de sus orgasmos. A Sara le volvía loca oírle de aquella manera, a él también.

—Grita, *mamacita*, quiero oírte gritar mientras te cojo. Qué bien te mueves, cómo me gustas, míranos follando en el espejo...

Sólo cuando se metía su pene en la boca podía estar casi en silencio. Tenía un sabor delicioso. Y si era como parte de un sesenta y nueve, el goce era aún mayor.

Andrés, igual que su amigo en la habitación de al lado, era un experto amante, generoso en dar placer, conocedor de mil posturas, lleno de energía y de deseo, de palabras elogiosas, de miradas cálidas y de potencia viril.

Cuando les dejaron ya era de día y tenían el tiempo justo de llegar al hotel, ducharse y salir corriendo para su siguiente excursión. Eva tenía el teléfono de Jaime y quedaron los cuatro en intentar verse otro día, antes de que se fueran.

Se contaron su noche mientras deambulaban admirando las increíbles obras de la civilización maya y mientras se secaban el cuerpo tras bañarse en un cenote. Era maravilloso encontrar hombres así, aunque reconocían, a la luz del día, que habían cometido una locura, al irse con dos completos desconocidos a quién sabe dónde. A Sara, Andrés le había gustado mucho más de lo que aceptaba reconocer.

Hablaron sobre si sería posible mantener tal nivel de pasión y de entrega en una relación formal, en la que te ves a todas horas, en la que incluso convives. Llegaron a la conclusión de que no. Que tal vez en el mundo hubiera alguna pareja así, seguro que la había, pero que la rutina y los pequeños enfados cotidianos sin duda matarían toda la frescura de ese primer encuentro. Ese querer apurar al otro, porque en unos minutos se va a ir de tu vida, como el agua entre las manos.

El día había sido agotador, sobre todo sin haber dormido en cuarenta y ocho horas. El sol había sido inclemente durante la visita a Chichén Itzá y tenían la piel dolorida, pese a las cremas protectoras y el frescor gélido del cenote en el que se bañaron. Eva había saltado desde una roca altísima a las profundidades oscuras y para Sara inciertas de la piscina natural. Eso la había espabilado bastante, pero aun así decía que sería de agradecer una noche de reposo.

De reposo relativo, pensaron. Tras la cena, copiosa y rica como siempre, visitaron la discoteca del hotel. Había muy poca gente, entre ellos unos cuantos especímenes del género masculino no muy bien escogidos. Tras unos minutos viendo como uno de ellos hacía el ridículo intentando bailar ante la desesperada mirada de su pobre esposa se pusieron rumbo al bar americano.

Era, literalmente, eso. Un pedazo de los USA trasladado unos cuantos miles de kilómetros, al patio de los vecinos. Mesas de billar, el aire acondicionado a la temperatura de referencia de Alaska, fútbol americano a todo volumen en la inmensa televisión, hamburguesas en la barra y norteamericanos y norteamericanas ligando entre ellos a grito pelado. Alguno era especialmente atractivo, como uno que parecía una fotocopia a color de Clark Kent sin gafas y que presumía de estilo con el palo de billar ante una rubia reoperadísima en minishorts y megasandalias de plataformas. Todo tan típico que se sintieron unas europeas intrusas enseguida, como espías del KGB o similar a punto de ser interceptadas y noqueadas por un vaquero fortachón. Se fueron a dormir, había sido un día muy largo.

La Riviera Maya les estaba gustando mucho más de lo que habían esperado. No era un lugar agreste y salvaje, sino ordenadamente cuidado. Un paraíso. Y uno no se imagina entrando en el paraíso a golpe de machete y mordido por cientos de alimañas. Para otro tipo de aventuras habría otros días y lugares.

El trato de los mexicanos era exquisito, amable y afectuoso, y les parecía imposible que se pudiera tratar del mismo país en el que se leía que ocurrían tantas barbaridades, sobre todo contra las mujeres. Visitaron infinidad de playas, a cual más transparente, más limpia, más turquesa el horizonte. Salieron una noche para volver a encontrarse con León y Ricardo, los chicos a los que habían conocido el primer día que salieron. Les invitaron a una fiesta con barbacoa en la residencia de uno de sus amigos. Era una casa blanca de dos plantas, como tantas por la zona. Había música, comida, mucha bebida, y gente muy animada charlando dentro, en el salón, y fuera en el jardín, en las hamacas.

Mientras abajo aún seguía parte de la fiesta, que se había convertido ya en un par de grupos charlando en voz queda con música chill-out, tanto Eva como Sara gozaban cada una en una de las habitaciones superiores de la casa, acariciándose con su chico. Contra la pared, contra la cama, se entregaron a horas de mimos, de besos, del goce de sentir un cuerpo bello y suave contra el suyo, de sentirse deseadas sin prisa, de dejarse amar y besar y penetrar y acariciar en cada centímetro de su piel, de sexo nuevo otra vez, con hombres diferentes y apasionados, en tan corto espacio de tiempo.

León se había quedado dormido y Sara bajó al salón ahora desierto a por algo de agua intentando no hacer ruido. Mientras abría la botella sintió unos pasos, y enseguida apareció Ricardo a su lado. Le preguntó qué tal estaba mientras le acariciaba el brazo y la cintura. Sara comenzaba a sentirse violenta. Eva debía estar aún en la habitación en la que evidentemente acababan de follar y él se le estaba insinuando.

—Me gustas mucho –le murmuró al oído–. Me gustaría hacerte el amor ahora. Vente a la habitación conmigo, Eva está de acuerdo, nos está esperando.

Sara no podía creerse lo que estaba oyendo. Aún sentía el roce del pene de León dentro de su vagina, y el que se suponía que era su amigo le estaba proponiendo un trío. Le parecía inconcebible. Subieron de nuevo arriba. Ricardo seguía insistiendo y tirando suavemente de su mano hacia la habitación que compartía con Eva. Sara se asomó dentro y la vio tumbada en la cama, el dorado cabello revuelto sobre la almohada y casi desnuda, mirándoles con los ojos entreabiertos y una tierna sonrisa.

—Eva, vámonos ya –dijo Sara–, Tenemos prisa.

—No, no os vayáis –insistía Ricardo en voz baja–, quiero follaros a las dos, no te vas a arrepentir, ya lo verás.

Sara se sentía extraña. La situación estaba cargada de sensualidad, pero estaba mal. Entró en la habitación en la que aún dormía León, atravesado en diagonal sobre la cama. Recogió sus cosas y esperó unos minutos a que Eva terminara de vestirse, que aún demoró un poco en besarse con Ricardo.

—Pero ¿cómo se te ocurre, Evita? –le reprochaba Sara ya en el taxi de vuelta al hotel.

—Ya... si se lo he dicho, que no ibas a querer, que justo acababas de hacerlo con su amigo... pero no sé, al final no me pareció tan mala idea... hemos fumado un poco... —A Eva se le cerraban los ojos de sueño.

Las dos estaban agotadas.

—Además, ¿cómo nos vamos a hacer un trío tú y yo? —seguía Sara—. Al día siguiente me moriría de vergüenza... ¡y vaya amigo, el otro! ...

Se dio cuenta de que Eva ya no la escuchaba. Se acababa de quedar dormida, con la cabeza apoyada en la ventana del coche. Conseguía sorprenderla siempre, no importaba el tiempo que pasara, con sus ocurrencias y su forma de ver la vida, tan abierta y sin hipocresías. Le acomodó un poco mejor la cabeza para que no acabara con dolor de cuello, le echó su chal sobre los hombros y le acarició el pelo con cuidado para no despertarla. La mañana estaba fresca y al otro lado de la ventanilla del taxi amanecía otro increíble día.

Sólo quedaban dos noches caribeñas, y decidieron que si la última iba a ser de descanso, dado que al día siguiente madrugaban para tomar el avión, la penúltima se merecía volver a la discoteca en la que habían conocido a Jaime y a Andrés.

El ambiente era el mismo de la otra vez, la música, la cantidad de gente, los camareros sirviendo Sex on the beach con aquella habilidad insultante para localizar al cliente en la semioscuridad y traerle lo que pidió intacto.

Sara buscaba con la mirada a Andrés y hacia la mitad de la noche desistió en su intento. Ni estaba ni se le esperaba por allí. Se sintió decepcionada, le apetecía mucho volver a encontrarse con él, una vez más. Eva por su parte se subió a la barra de la pista a la primera ocasión, le divertía muchísimo y era posiblemente la última vez que podría hacerlo, en Madrid ni se le pasaría por la cabeza algo así.

Ambas bailaban y bebían sin parar. El licor era muy dulce, como un zumo de naranja extremadamente azucarado, y ya notaban sus efectos.

Sara se dejaba llevar por la música, cuando sintió a su espalda, siguiendo sus movimientos, el cuerpo de un hombre. Bailó así unos minutos, disfrutando la inconsciencia de no saber quién era el que detrás de ella pegaba su camiseta a su espalda y sus pantalones al vestido. Sólo le veía los musculosos y bronceados brazos sin apenas vello cuando le abrazaban por la cintura.

Fue él quien se giró y se puso delante de ella, pegando casi su nariz a la suya.

—Llevaba ya un rato mirándote –dijo–. Eres muy guapa. Me gustas.

A Sara también le gustaba. Bailaron muy pegados, casi abrazados y se dio cuenta de que debía de tener un cuerpo perfecto.

Vio a Eva bailar con un chico, mientras se besaban. Pensó que el abandono era eso. Dejarse ir como en un río, sin limitaciones impuestas, sin ataduras morales absurdas que sólo buscan coartar la libertad de las personas. Dos personas que se gustan, se buscan y se disfrutan, con afecto y en igualdad de condiciones. Y que con la misma libertad otro día se separan, o unos minutos después, y cada uno sigue el cauce de su propio meandro, hasta el mar, o hasta donde le apetezca, y con quien le apetezca.

El chico hablaba poco pero besaba muy bien. Se llamaba Carlos y era de allí, de Playa del Carmen.

Eva se había separado del chico con el que estaba y se acercó a ellos. Desde lejos Sara intuyó el peligro. Conocía esa mirada. La había visto otras veces, aparecía cuando había sobrepasado el límite de alcohol, el que marca la diferencia entre el «debo y no debo» y venía acompañada de un deseo incontrolable por la nueva pareja de una de sus amigas. Sara había bebido, mucho, pero no tanto como para no darse cuenta. Esto había causado algún leve roce en el pasado en el grupo. Una Eva hambrienta lanzando sugerentes miradas al afortunado, y la amiga hecha una furia. Al día siguiente se lamentaba de saber lo que había hecho, no se acordaba de nada de cómo habían pasado las cosas y todas la creían, porque la conocían bien, y era verdad. Ninguna podía reprocharle nada a Eva durante más de diez minutos seguidos.

Se presentó dándole dos lentos besos en las mejillas y deslizando su mano por el formado brazo. Carlos fue consciente de la situación y parecía no saber qué hacer. Parecía que por un lado no quería malinterpretar la situación, por otro miraba a Eva, que le hablaba mientras mantenía su mano en la muñeca de él, y a Sara que se iba alejando. Alargó el brazo para retenerla pero Sara se fue aún más lejos. Se había enfadado. Sabía que era el efecto del alcohol y del cansancio, que en cualquier otro momento la situación le hubiera dado risa, ya que el chico en realidad no le importaba, había muchos más, pero le había sentado mal y tenía que alejarse hasta que se le pasara. Ahora sí que debería aparecer Andrés. Ese sí sería un buen momento.

Eva se acercó a ella, con los ojos brillantes, y feliz.

—Qué guapo es tu chico —le dijo—. Me gusta mucho más que el mío.

—Pues quédatelo —replicó Sara.

Su tono sonó airado y se arrepintió enseguida.

—Pero no te enfades —seguía Eva, dulce, con los ojos apenados—. Si yo no quiero quedármelo. Podemos estar con él las dos…

Eva sentía correr por cada centímetro de su piel la excitante sensación de riesgo que le había llevado a hacer tantas locuras. No quería retenerla, quería gozar hasta el último segundo, aprovechar cada instante y cada placer que le ofreciera el destino. El corazón le latía alocado y vibraba por dentro. Su mente le repetía su lema: «Aquí y ahora, no hay mejor momento», «Aquí y ahora…».

Carlos había oído el último comentario, ya que se había unido a ellas y agarró a Sara por la cintura, a la que en ese momento le bullía la cabeza.

—No me hace gracia, Evita. Sabes que estas cosas no me van, y además que no le conocemos de nada —se defendía.

—Pero si no pasa nada —insistía ella— y sólo es si tú quieres, yo no quiero que te enfades. Pero piénsatelo un poco…, puede ser muy divertido.

Carlos atendía a la conversación como un convidado de piedra, pero sin perder detalle.

—Por favor, no te pongas celosa —le dijo Carlos a Sara—. Podría ser divertido, muy divertido…

Le chisporroteaban los ojos, que ahora se parecían a los de Eva. Se leía en ellos una idea fija, brillando como un neón. Las tenía a las dos agarradas por la cintura, sin querer soltarlas, por si alguna se le evaporaba de repente.

Eva seguía insistiendo. Deseaba hacerlo con todas sus fuerzas. El hervor erótico de lo desconocido seguía corriendo por sus venas, acelerándose.

—Nos vamos en dos días, Sara, es nuestra última oportunidad —le decía al oído—. Nadie va a enterarse de lo que pase. Y si no nos gusta nos vamos. Nuestra última oportunidad…

Sara se debatía consigo misma. Por un lado no le parecía bien, en realidad le daba miedo. Por otro lado era cierto, nunca había participado de una cosa así y aquellas circunstancias eran especiales, Eva tenía razón en que era la última oportunidad. Recuperó la sensación que le invadía apenas una hora antes, pensaba en cómo iba a echar de menos esa libertad y en que el abandono, para ser real, no debía controlarse.

Ya no estaba enfadada con Eva. Gracias a ella y a su desinhibición, si se atrevía a dar el último paso, podría vivir una nueva experiencia.

Dijo que sí, aún sin estar del todo convencida. Carlos les pidió que no se movieran de ahí, que tenía que avisar a sus amigos de que se iba y regresaba enseguida.

Ellas se quedaron en la pista y le vieron desaparecer a la carrera. Las dudas resurgían en Sara, que ya no quería beber más. Eva ya no tenía fin. Bailaba alegre, feliz, y hasta estaba dispuesta a irse con un francés que acababa de conocer. Sara tuvo que recordarle que estaban esperando a Carlos para hacer un trío.

—Ah, pero ¿no se había ido? —preguntó inocente.

Ya casi ni se acordaba de él. Había bebido demasiado.

A Sara le desarmaba su candor y su facilidad para eliminar los odiosos tabúes de su mente con un pequeño chasquido de los dedos.

Carlos tardó más tiempo en llegar del que esperaban y para entonces Sara ya había recordado que al día siguiente tenían la última excursión y que tenían que madrugar mucho. Se lo dijo a Carlos, que pareció desolado.

—No, pero un ratito –suplicaba–. Nos podemos ir ya, buscamos un hotel y estamos unas horas no más.

—Un rato solo, Sara –decía Eva– y mañana por la noche no salimos, para descansar. Venga, que nos vamos a arrepentir si no lo hacemos… ¡Si vamos a un hotel, no a su casa!

La sensación de miedo a lo desconocido renacía en Sara mientras avanzaban en el taxi. Carlos se sentó en el medio de las dos y colocó sus manos en las rodillas de ambas, acariciándolas. Parecía algo nervioso. Eva miraba a Sara y le hacía guiños, se lo estaba pasando en grande.

El recepcionista no daba crédito a lo que escuchaba. No era un hotel de citas como el otro en el que estuvieron, evidentemente. No podía entender que no quisieran una cama de matrimonio y otra individual, y no le pensaban dar explicaciones. Les dio las llaves con aprensión, como si estuviera delante de Satán y su cortejo.

Carlos estaba nervioso, excitadísimo y visiblemente empalmado desde hacía mucho tiempo. Las miraba sin poderse creer lo que veía, mientras ellas se desnudaban. Él se desnudó a su vez. Sí, tenía un cuerpo perfecto, y un pene largo y rígido como un bastón.

—No me puedo creer que me esté pasando esto –decía con un tono vibrante de emoción en su voz, mientras comenzaba a acariciarlas.

A Eva le apretaba los pechos con una mano, a Sara le metió la mano debajo del fino y corto vestido que aún llevaba puesto y le sobó la vulva, como un pulpo, fácilmente porque ya se había quitado las bragas. Apretó su pene contra su pubis sin dejar de amasar los pechos de Eva, de pellizcarle los rosados pezones. Soltó los pechos para levantar del todo el vestido de Sara y penetrarla de pie, de frente, tal como estaban. Sara gimió de placer sin poder contenerse. Con la mano derecha abierta le propinó un cachete en la nalga que la hizo pegarse aún más a él involuntariamente, mientras con la izquierda atrajo de nuevo a Eva hacia él y comenzó a besarla, mordiéndole los labios y la lengua. Aún dentro de Sara comenzó tocar a Eva por todas partes, a meterle los dedos en la boca y amasarle el culo.

En un movimiento salió de Sara, que aún un poco conmocionada por la situación se desnudó del todo y se tumbó boca abajo, excitada y con las piernas abiertas, a esperar acontecimientos. Ninguna de las dos se sentía incómoda por contemplarse desnudas. Al final no era tan diferente de verse en bikini.

Carlos las miró a las dos y le pidió a Eva que se tumbara sobre Sara, también boca abajo, en la misma postura. A las dos les pareció chocante y les dio la risa, pero dejaron de hacerlo cuando él, con la cabeza entre las piernas de las dos, comenzó a lamerlas. Primero a una, luego a la otra, sin parar, con una lengua punzante y golosa que subía y bajaba sin parar, y los dedos de él acariciando sus nalgas. Cuatro redondos montículos separados por dos valles húmedos y cálidos que no podía parar de chupar y de morder. Ellas gemían sin poder contenerse.

Le pidió a Eva que se diera la vuelta. Estaba excitadísimo y ellas también. Eva se colocó boca arriba en la cama y abrió las piernas.

—Quiero que metas mi verga en tu amiga —le dijo a Sara con un susurro.

Sara obedeció y sujetándole el pene lo dirigió al húmedo hueco de Eva, que reaccionó con un gemido profundo. El pene estaba muy duro y tenía el tamaño perfecto para llegar a todos sus rincones. Le produjo un placer inmediato tan gratificante que sólo quería que siguiera empujando dentro de ella de la misma forma. Él embestía con todas sus fuerzas, mientras Sara, todavía boca abajo, divertida, les miraba.

—Qué rico *mamacita*, ay no *mames*, qué rico. Y cómo te gusta mirar mientras cojo a tu amiga, ¿verdad? Te está gustando ¿verdad? Te está poniendo muy caliente ver cómo se lo hago…

El voyeurismo no era el principal vicio de Sara, pero le notó tan excitado que no le quiso desilusionar. Además, para ella tenía su gracia ver a Eva con el rostro contraído, la boca abierta, exhalando esos ah, ah, ah… tan profundos.

Salió de Eva y se tumbó en la cama. Ella comprendió enseguida y se subió sobre él, con los pies a ambos lados de sus caderas, como un *hockey* listo para emprender la carrera.

Se sentó sobre su pubis, introduciéndose de nuevo el pene, y comenzó un movimiento rítmico arriba y abajo que a Carlos le arrancaba gritos de placer.

—Esto sí es calentar a un hombre —gemía—; tú sí sabes cómo calentar a un hombre...

Carlos terminó, dentro de Eva, en un orgasmo ronco y gutural, y la esperó, con el pene aún con la consistencia suficiente para que ella contrajera sus músculos rítmicamente alrededor del miembro, abrazándole entre las paredes de terciopelo de su vagina, moviendo un poco la pelvis para ir a su encuentro, hasta que se corrió, temblando. Carlos salió de ella lentamente, mientras ella se tumbaba, con los ojos cerrados y la sonrisa dibujada.

—Ahora tú —le dijo a Sara con la misma voz sensual— ¿Qué quieres que te haga? ¿Eh?

—Quiero que me folles —le ordenó Sara—.

Sara se dio la vuelta y abrió las piernas del todo, con las rodillas dobladas y los pies en las blancas sábanas, como ante el ginecólogo. Ahora se sentía bien. Sabía que ambas tenían el poder en aquella situación.

No tenía previsto trabajar en exceso, quería ser servida, ser follada adoptando una actitud pasiva. Era lo que le apetecía. Al tenerle arrodillado delante de ella pensó que podría ser como Mesalina, y en la misma postura dejar que fueran entrando los hombres, los soldados del César, a su cuarto para satisfacer su lujuria, la de ella, hasta que ella misma dijera ¡Basta!

—No *mames*, ay, no *mames*, no me lo puedo creer que me esté pasando esto... qué hermosa eres, qué mujer tan preciosa tengo delante, no me lo puedo creer...

A Sara le excitaba su cara de felicidad, su adoración. Estaba empapada de deseo.

—Tienes que dejarme descansar un poco, —le dijo— ahora te cojo, princesa.

Volvió a enterrar su cara en su pubis, abriéndolo con las manos. Eva, a su lado, se había quedado dormida. Sara se retorcía sin poder evitarlo. A la vez que chupaba y lamía como un loco le metía dos dedos, una y otra vez, provocándole unos espasmos en el interior de su cuerpo que se iban transformando en pura electricidad según salían de sus dedos y bajaban por sus piernas.

—Oh, qué bien lo haces, me gusta mucho cómo lo comes, me gusta muchísimo... –Se estaba volviendo loca de placer.

Carlos seguía en su tarea, con un entusiasmo contagioso y febril.

—Qué bien sabes, princesa, tú no te imaginas lo que tienes aquí abajo..., tienes el coño más rico que he probado nunca... qué suave y qué rico, *mamacita*...

—No aguanto más, por favor, cógeme ya –le suplicó, en éxtasis.

Su pene estaba de nuevo duro como pedernal, liso y recto como una ballesta, y la penetró de golpe, como había hecho antes con Eva. Y al igual que ella, Sara sintió una descarga al sentirle dentro, sin dar tregua ni un segundo, golpes y más golpes contra el fondo de su cuerpo, una y otra vez. Estaba a punto de tener un orgasmo cuando él suavizó los movimientos, ensartándola más lentamente pero siempre hasta el fondo. Sara gemía con cada movimiento en el que entraba o salía, y le oía repetir «ay qué rico, ay no mames, ay no me lo puedo creer...» como una letanía.

—Me estoy enamorando de ti, princesa –le susurró al oído– dime que te quedarás conmigo, que follaremos siempre así, que me vas a esperar en la casa así, abierta de piernas para mí, para que te coma y te coja, todos los días de mi vida...

«Hasta que la muerte nos separe», pensó Sara con guasa, pero no dijo nada. Estaba muy ocupada en sentir su vagina arder y las contracciones que la sacudían involuntariamente. Era un placer delicioso.

Eva se había despertado y los miraba, con los ojos entornados. Carlos salió de Sara y se abalanzó sobre Eva.

—Eh, qué pronto se te pasó el amor –se rio Sara con sorna.

—Te follé mucho rato, niña, no te me quejes. No puedo dejar a esta hembrita aquí, tan solita, con tantas ganas de macho. Mírala toda mojadita, mírala...

Y ensartó a Eva suavemente mientras hablaba. Ellas se miraban y se sonreían. Sara fue consciente de que Carlos no se había cambiado el preservativo en todo el tiempo. La amistad es lo que tiene, pensó, se comparte todo...

Eva no podía pensar en nada práctico. Aún le duraba la modorra del sueño y no era plenamente consciente de lo que estaba pasando hasta que le sintió de nuevo dentro de ella, entrando y saliendo de su cuerpo, tirándole del pelo y besándole la cara. Era maravilloso.

Carlos alargaba la mano y le dejaba a Sara los dedos en la boca, para que se los chupara. Ella, indolente, lo hacía, recreándose, imaginándose cómo lo haría con un pene. No lo iba a hacer con el suyo, no quería. Los dedos estaban bien y a él también le gustaba. Suficiente.

Le sacó los dedos de la boca y los dirigió a su clítoris. Dejó de moverse dentro de Eva, y se concentró en darle placer a Sara moviendo las yemas en círculos, sintiendo cómo la humedecía, observando sus gestos de placer. Besó a Eva en la boca, con pasión, y salió de su cuerpo.

—Quiero otro poco de este plato tan rico —dijo entre las piernas de Sara—. Ay, *mamacita*, tú no sabes lo que tienes aquí abajo...

Lamió el clítoris con la punta de la lengua, despacito. Luego en círculos, como con los dedos.

—Date la vuelta, princesa. Quiero gozar de este culito precioso, hace mucho que no lo veo.

Sara se giró y se puso boca abajo, con las piernas bien abiertas y bajó su almohada hasta su pubis, para que él no se perdiera nada del *show*. Carlos le recorría las nalgas con una mano.

Se giró hacia Eva y la agarró un pecho, mirándolo embobado. Le encantaba hacerle eso, Eva lo tenía claro. Colocó su mano derecha sobre la mano de él, ayudándole a apretar, a sentir más su calor. Con la otra le agarró los testículos, acariciándoselos.

—Yo me como a tu amiga y tú me comes a mí, ¿eh? ¿Te gustaría? —no podía de dejar de mirarlas alternativamente, aún no se creía su buena suerte.

—Claro que quiero —respondió Eva mimosa, besándole en los labios—. Me apetece mucho…

Y se colocó sobre sus manos y sus rodillas entre las piernas de él, le quitó el preservativo y sin darle tiempo a ponerse otro, se introdujo la punta del pene en la boca. Le gustaba de verdad. Aún guardaba el sabor a plástico, pero la cabeza estaba limpia, sedosa, muy comestible.

Entre gemidos, Carlos se inclinó sobre el trasero de Sara y comenzó a lamer la abertura, de arriba abajo, todos sus orificios, con toda la lengua, con todos los dientes, succionando su clítoris con la nariz enterrada dentro de ella.

—Méteme un dedo —le pidió ella.

Él obedeció, temblando por los espasmos que le producía la succión de Eva en su pene.

—Méteme dos dedos —seguía Sara— … ahora tres… cuatro… ya, ya… ah, ya…

Eva no quería que Carlos se corriese en su boca y dejase a medias la diversión de su amiga, así que se retiró a observar.

—Aún no me lo creo —repetía Carlos— tengo aquí para mí la Inocencia y la Malicia… Tú eres la Inocencia —decía acariciando las nalgas de Sara— Tú, la Malicia —Y le paseaba la mano a Eva por el vientre.

Se abalanzó entonces sobre Sara, penetrándole la vulva que antes penetraba con los dedos. La postura, con el culo en pompa, hacía que el pene llegase tan adentro que hacía lo posible por ahogar los gritos de placer que le producía. El la agarraba del pelo, sin tirar pero con decisión, y le mordía el cuello. Le excitaba su pasividad, su dejarse hacer cualquier cosa. Salió de su vulva y abrió de nuevo las nalgas, muy abiertas. La estaba gozando con la vista. Ella esperaba que volviese a lamerla pero en lugar de eso, sin previo aviso, la penetró por detrás, por el ano, sujetándole los brazos contra la cama. Sara vio el preservativo y fue consciente de que no se había puesto otro. Miró a Eva, que les observaba como despertando de la noche de alcohol, desde el otro lado de la cama.

—Sin preservativo, no, —le dijo.

E intentó zafarse de él moviéndose. Pero lejos de alejarle, con sus movimientos el pene entró en ella completamente, provocándole un inmenso placer. No quería admitirlo, pero estaba gozando. Consiguió soltar los brazos e intentó apartarle de su cuerpo empujándole las caderas pero él le sujetó los brazos desde atrás, por las muñecas y extrañamente en silencio, para lo parlanchín que había estado toda la noche.

—Un poquito más, mamacita —le murmuró al oído—, déjame gozarte este culito un poquito más. No sabes cómo es, princesa, si tú supieras cómo es, si tú supieras... —Y seguía empujando, cada vez más rápido.

—Acabaré gritando como no dejes de cogerme el culo —le amenazó— me estás follando sin permiso, le dijo en un susurro al oído y ahogando un gemido de puro éxtasis.

Salió de ella lentamente con un suspiro y sin ver culminado su deseo, acariciando con la punta de sus dedos la abertura entera y recogiendo almíbar de la vulva, que manaba.

La suave voz de Eva les sacó de sus pensamientos.

—Sara, son las siete. El autobús de la excursión sale en hora y media.

Carlos no se quería creer que ya se iban. Les suplicó, su pene erecto como en el primer minuto parecía suplicar también, pero tenían que irse. Le pidió a Sara sus bragas usadas pero ella se negó. Le gustaba mucho ese conjunto y suponía que sus bragas acabarían en una basura dos días después.

Las acompañó al taxi, y les dijo que había sido la mejor noche de su vida. Era un chico adorable. Le despidieron con un beso en los labios las dos, ante la incrédula mirada de los pocos viandantes que circulaban por ahí en ese momento.

—Madre mía, Eva... —dijo Sara, sonriendo y poniendo los ojos en blanco, aún sin creer del todo lo que había terminado pasando.

—Me ha gustado mucho... —dijo Eva—. ¿No crees que cuando ha salido en la discoteca a despedir a sus amigos puede ser que haya ido a buscar viagra?...

La risa les duró hasta que llegaron al hotel y se metieron en las duchas, relajadas y felices.

La excursión había sido un plan perfecto de mañana de snorkel, tortugas y delfines* en mar abierto. Habían decidido pasar la última noche en el hotel, no creían que sus cuerpos pudieran aguantar más diversiones.

Disfrutaban de su última tarde en el Caribe, tumbadas en la playa de plata de su hotel de cinco estrellas, con los pies descalzos jugando con la arena y escuchando el mar.

Eva se incorporó un poco apoyándose en un codo y se levantó el sombrero tejano de paja en el que ponía México para mirar a su amiga perezosamente, que llevaba un rato en silencio.

—¿En qué piensas?

Sara esbozó una media sonrisa burlona bajo el sombrero idéntico al de ella que le cubría la mitad de la cara.

—Pues… estaba pensando en una mujer que me dijo una vez hace tiempo que era feliz cada día que vivía, porque tenía la seguridad de que nunca volvería a ser tan joven como lo era en ese momento…

—Una mujer sabia, sí. Yo opino exactamente lo mismo, ya lo sabes.

—Pienso que estamos ya a pocas horas de volver a casa… –continuó despacio.

—¡Ajá!

—Pienso en ese vídeo tuyo con Jaime y, sobre todo, pienso en Andrés.

—Ya veo…

—Y pienso que, no sé, tal vez sería buena idea volver a salir esta noche, ¿no te parece? –Sara se levantó el sombrero para verle la cara a su amiga y giró la suya risueña hacia ella. Sonreía pícara.

—Ya dormiremos en el avión. Me parece bien.

Eva se recostó otra vez, tumbándose cara al sol. Volvió a tapar sus ojos con el sombrero.

—Podemos llamar a Andrés y a Jaime y si les apetece volvemos al hotel del espejo en la pared.

Las dos rieron. Sara volvió a mirar hacia delante y a taparse media cara con el sombrero.

—Aunque creo –siguió Sara en tono suave– que les podríamos proponer esta vez alquilar una sola habitación para los cuatro… ¿Cómo lo ves?…

Eva la sentía reírse en silencio y suspiró, agradeciendo ese instante, el sol, la arena, la amistad, la vida…

Un velo de agua del mar les acarició los pies. El viento caprichoso refrescó por unos segundos sus cuerpos.

—Me parece perfecto, Sara. *Carpe diem, baby*… *Carpe diem.*